KU-059-442

Comme une chanson dans la nuit

Du même auteur

D'amour et de nuit
Éditions de la Grisière, 1971

Les Chemins de Bob Dylan
Éditions de l'Épi, 1971

Aube-Mer
Éditions Saint-Germain-des-Prés, 1973

Montand
Éditions Henri Veyrier, 1977

Mon œil. Chroniques cyclothymiques
d'un zappeur professionnel
Éditions Syros Alternatives, 1989

Les Mémoires de Mon œil
Éditions du Seuil, 1993

Je ne vous ai pas interrompu !
Éditions du Seuil, 1994

Les Images
Éditions du Seuil, 1997

Chaque jour est un adieu
Éditions du Seuil, 2000

Un jeune homme est passé
Éditions du Seuil, 2002

Dernières nouvelles de Mon œil
Éditions du Seuil, 2003

Alain Rémond

Comme une chanson dans la nuit

récit

Éditions du Seuil
*27, rue Jacob, Paris VIe*

Ce livre est édité par Hervé Hamon.

ISBN 2-02-060447-7

www.seuil.com

Sais-tu ce qu'on te demandera à ta mort ? On ne te demandera pas si tu travaillais à une œuvre nouvelle, magistrale, extraordinaire, à l'instant de ta mort [...] Moi, je suis persuadé qu'on te posera deux questions seulement. Est-ce que toutes tes bonnes étoiles étaient éteintes ? Écrivais-tu sous la dictée de ton cœur ?

J. D. Salinger, *Seymour, une introduction*

A tous mes amis.

Je ne me ferai jamais à la fin de l'été. Jamais. Les charmes de l'arrière-saison, la splendeur de l'automne, la douceur des pulls et le retour des feux de cheminée, c'est inutile de m'en parler, je refuse, de toutes mes forces, la fin de l'été. Je l'ai trop attendu, je l'ai trop voulu. Chaque année, au printemps, je guette la première explosion de feuilles. Enfin du vert, du vivant ! Les arbres sont faits pour avoir des feuilles. Je ne connais rien de plus sinistre que la chute des feuilles, en automne, qui annonce ces longs mois d'arbres noirs, d'arbres morts, en hiver. Ce qui me fait tenir, c'est cette certitude qu'à partir du 21 décembre les jours rallongent. Quelques secondes, puis quelques minutes, oui, c'est sûr, on va vers l'été. J'aime mai et juin quand les feuilles sont encore tendres, fraîches, luisantes. J'aime ce qu'elles annoncent, les longues journées d'été, l'explosion des couleurs, le soleil qui joue dans l'herbe, qui fait rêver la terre. C'est à cause des grandes vacances, de l'enfance, le nez dans l'herbe, dans la douceur de l'herbe, pour des semaines et des semaines d'éternité. Les arbres qui chantent, au-dessus de la tête. Le temps qui prend son temps. On peut se laisser aller, on peut croire au bonheur. On peut serrer la terre dans ses bras. C'est l'été. Les grandes vacances. Je me disais, enfant, qu'on devrait interdire la fin de l'été. Je n'ai pas changé d'avis. Bien sûr, l'automne, alors, c'était la rentrée, c'était le dortoir, le cafard. C'était les longs mois loin de Trans, loin de la famille. Il n'y a plus de dortoir, plus de cafard. Mais je hais toujours autant la mort de l'été, le jour qui baisse, la nuit qui gagne, l'hiver qui arrive à longs pas. Déjà j'ai hâte d'être au printemps, déjà je veux qu'on soit en mai, en juin, je ferme les yeux sur ces longs mois qui viennent, je les raye de ma vie, je ne veux pas qu'ils existent. Cette impatience est vaine, bien sûr. Surtout elle est cruelle : vouloir accélérer le temps, c'est comme brûler la vie qui reste. J'ai hâte d'être demain, après-demain. Mais le temps, alors, aura passé. Ce temps que je ne regagnerai jamais. Il faudrait accepter l'automne et l'hiver, les arbres morts, les nuits trop longues, parce que c'est le temps de la vie, c'est du temps pour vivre. Mais j'ai cette impatience, toujours. Et, toujours, ce regret d'avoir accéléré le temps. Et l'été passe si vite, tellement vite…

Celui-ci, pourtant, celui que je viens de vivre, je l'ai passé comme suspendu dans le vide, comme hors du temps. J'ai quitté Paris, début juillet, en somnambule, sans savoir de quoi ma vie, désormais, serait faite. Près de trente ans de ma vie dans le même journal et soudain c'est fini. Obligé de partir. Obligé de casser cette histoire entre ce journal et moi. Pas de regrets. L'absolue certitude d'être en accord avec moi. Mais voilà : une histoire qui se déchire, qui se brise. Et devant : le vide. Un été sans savoir ce que je vais faire, après. Un été sans horizon. Faire mine d'être en vacances, quand il n'y a pas de rentrée. Du temps pour comprendre, pour réfléchir, du temps comme un cadeau : voilà ce que je me dis. On manque tellement de temps. Oui, bien sûr. Mais il y a cette brisure, cette déchirure. Et le temps d'après ne se laisse pas apprivoiser. Pas facilement. C'est un temps qui piétine, qui s'échappe, qui se rebelle. Qui ne ressemble pas au temps d'avant. On ne sait pas l'habiter. Il faut apprendre. Il faut errer dans des pièces vides. Et y trouver sa place, en tâtonnant, en se cognant, en se perdant.

Juste avant l'été, cet été-là, j'ai reçu une proposition d'un éditeur. Il devait publier, à l'automne, un album de photos destiné à faire connaître une association d'aide aux enfants gravement malades. Il me demandait d'écrire un texte personnel, en ouverture à cet album. Je cite sa lettre : « Ce récit n'est pas sur l'association ou sur les enfants malades. Il n'est pas une préface, ni un commentaire des photos qui suivent, mais un texte qui possède sa propre autonomie. Il relève, de mon point de vue, d'un appel à l'action, à la prise de conscience de nos capacités particulières et individuelles, dans une conscience à l'autre. Faisant fi du doute, l'humain avant tout, dans sa première acception, se sait alors capable d'agir. »

C'était flou, compliqué, alambiqué. Mais après avoir rencontré l'éditeur et la fondatrice de l'association, j'ai dit oui. Je me suis dit qu'écrire ce texte, dans les délais très serrés qui m'étaient imposés (une quinzaine de jours), m'aiderait à habiter ce temps qui m'était donné. Ou du moins me donnerait l'impulsion pour l'habiter. Je voyais bien les pièges de l'exercice : un sermon édifiant et bien-pensant, genre « aidons-nous les uns les autres », un prêchi-prêcha bourré jusqu'à la gueule de majuscules ronflantes. J'avais envie d'écrire sur le courage, dans la vie quotidienne. J'avais envie d'écrire sur les gens écrasés par la vie quotidienne. Et sur leur courage, malgré tout. Je voulais éviter les grandes phrases, les grands mots. Je voulais partir de la vie concrète. Je voulais parler des gens que je vois, que je croise. De leur vie difficile, dure, compliquée. Et du courage. Où trouve-t-on ce courage, pour continuer à se battre, jour après jour ?

Je me suis lancé dans l'écriture. Et j'ai envoyé mon texte à l'éditeur. Il m'a dit qu'il l'aimait beaucoup. Vraiment. Puis, quelques semaines plus tard, j'ai reçu une lettre, très courte. L'une des plus courtes lettres que j'aie jamais reçues.

« Cher monsieur. Vous avez bien voulu vous charger de la rédaction du texte dans le cadre d'un projet éditorial que nous menons au profit de l'association [ici le nom de l'association], nous vous en remercions. Hélas, ce texte ne correspond pas à l'attente de l'association. Nous vous prions d'agréer, cher monsieur, l'expression de notre considération distinguée. »

Au téléphone, l'éditeur a été un peu plus précis : mon texte était trop noir, trop pessimiste. C'était le point de vue unanime des membres du bureau de l'association. Il était sincèrement désolé. Parce que lui-même l'aimait bien, mon texte. Mais il fallait comprendre l'association, qui espérait un appel à l'action, à la mobilisation, optimiste et joyeux. Honnêtement, à la réflexion, je ne peux pas leur donner tort. La tonalité de mon texte n'était pas franchement gaie. C'était même, à la vérité, un texte à donner le cafard.

En voici le début. Juste le début.

« Certains jours, je me demande comment font les gens. Je les regarde dans la rue, dans le métro, dans les magasins. Ils ont l'air si las, si soucieux, si fatigués. Parfois ils parlent tout seuls, grommellent à voix basse. Ils ont des cernes sous les yeux, je me dis qu'ils ont mal dormi. La peur de ne pas y arriver, de ne pas pouvoir payer le loyer, les charges. Les rêves éteints, la solitude qui gagne, le silence qui s'installe, qui grignote la vie. La mort des autres, des proches, la maladie qui rend si fragile, si démuni. Les gens s'endorment, dans le métro, les corps s'affaissent. La vie est dure, trop dure, voilà ce que me disent leurs visages. On a trop de problèmes, trop de soucis, jamais tranquilles, jamais heureux, vraiment heureux.

» Voilà ce que je me dis, en regardant les gens

le cabas à la main, comptant les sous dans le porte-monnaie. Ou assis sur un banc, regardant droit devant eux, nulle part. Comment font-ils pour tenir ? Comment se débrouillent-ils avec la vie, cette vie qui leur est faite ? Ils ont des dossiers sous le bras, ou dans un sac en plastique. Ce sont les papiers du chômage, de l'ANPE, des Assedic. Tous ces papiers qu'il faut conserver, classer, faire tamponner d'un bureau à l'autre. Ne pas les perdre, surtout. Les papiers qui permettront peut-être de retrouver du travail. Les papiers de la Sécu, des allocations familiales, les papiers pour renouveler la carte de séjour. Ils sont à la merci d'un papier perdu, tamponné au mauvais endroit, pas signé comme il faut. Ils sont à la merci d'un type, derrière un guichet, qui leur dira qu'il manque un papier, qu'il faudra revenir, tout recommencer. Il y a trop de soucis, trop de problèmes. Il y a ce mur devant, qui empêche d'avancer. Il y a le poids des choses, les épaules qui tombent, les pas qu'on n'arrive plus à faire. Il y a l'envie de tout arrêter, de tout laisser tomber. Parce qu'on sait que c'est trop dur, que c'est perdu d'avance. On n'aura qu'une petite vie, rabotée, racornie, si loin des rêves qu'on a peut-être eus, quand on était enfant.

» Oui, je me demande comment font les gens. Comment ils tiennent, malgré tout, contre tout. Je les regarde et je vois qu'ils s'accrochent, qu'ils luttent, pied à pied. Ils s'obstinent, ils insistent, inlassablement. Ils ont d'infinies réserves de patience et je ne sais pas où ils les trouvent. Ils refont les mêmes démarches, affrontent le même guichet, jusqu'à ce qu'il y ait tous les papiers, jusqu'au coup de tampon final. Une fois de plus, ils ont eu raison du découragement. Une fois de plus, ils ont gagné. Même s'ils savent qu'il faudra recommencer, livrer le même combat. Ils y sont prêts. Ils ont ce courage qui vient de loin, ils ne savent même pas d'où, ce courage qui leur donne la force de recommencer, encore et encore. Ils sont visités par des rêves, même infimes, même fugitifs, des rêves qui, ce jour-là, en cet endroit-là, rassasient leur besoin de bonheur. Alors ils s'agrippent. Ils tiennent bon. »

Je parlais des gens de mon quartier, à Paris, un quartier populaire, comme on dit. Un quartier d'immigration, aussi. Le bureau de l'ANPE est juste en bas de chez moi. Tous les matins, je vois les chômeurs qui font la queue, en attendant l'ouverture. Je vois aussi ceux qui tournent autour, d'un air faussement dégagé, qui ne font pas vraiment la queue, pour qu'on ne les prenne pas pour des chômeurs. Juste derrière, c'est la caisse d'allocations familiales. La queue, là aussi, les papiers, les dossiers. C'est à eux, à ceux que je vois tous les matins, en bas de chez moi, que j'ai pensé, en écrivant ce texte. Mais en le relisant aujourd'hui, je vois bien qu'il parlait, aussi, d'autre chose. De quelqu'un d'autre. Il parlait de moi.

Au milieu de l'été, le 31 juillet, après avoir reçu la réponse négative de l'éditeur, je suis revenu à Paris pour signer, dans mon ancien journal, celui où j'ai passé près de trente ans de ma vie, mon « solde de tous comptes ». Le lendemain, je suis allé m'inscrire aux Assedic. Profession : chômeur. Quelque temps plus tard, je faisais, moi aussi, la queue devant l'ANPE, en bas de chez moi. J'étais au milieu de ceux dont j'avais parlé dans mon texte. J'étais l'un d'eux. Avant, quand je partais à mon journal, le matin, et que je voyais la queue, je me souhaitais de ne jamais me retrouver là un jour, dans cette queue. Eh bien, voilà. C'est mon tour. Numéro d'appel, questionnaire, coups de tampon, signature. Et des papiers qui manquent, bien sûr. Il manque toujours des papiers. Je n'ai pas l'indécence de me plaindre. Au milieu d'eux, mes collègues de queue, je suis un privilégié. Plus, beaucoup plus qu'un privilégié. Mais voilà. J'ai cinquante-cinq ans, presque cinquante-six. Je suis au chômage. Tous les mois, je pointe aux Assedic. Par téléphone, c'est plus moderne. Quand je passe devant l'ANPE, maintenant, je regarde le dossier qu'ils ont sous le bras, ceux qui tournent autour de la queue d'un air dégagé. Ils ont un dossier en plastique bleu. J'ai le même. C'est celui que nous donnent les Assedic. Pour classer tous nos papiers.

J'appartiens à la confrérie des dossiers en plastique bleu. Ceux qui se reconnaissent de loin, dans la rue. Qui savent, en voyant le dossier en plastique bleu, où ils en sont, les uns et les autres, de leur vie. Qui ont du temps pour y penser, à leur vie. Beaucoup trop de temps.

Dans mon texte pour l'association d'aide aux enfants malades, voici ce que j'avais écrit, un peu plus loin.

« La vie est un nœud inextricable. Chaque jour est un mystère. On se fait des idées, sur la vie. On croit savoir ce qu'on veut, ce qu'on souhaite. On a parfois de grandes envies, de grands désirs. Et puis soudain on ne sait plus. On n'est plus sûr de rien. Être un homme, être un vivant, c'est rêver d'une vie à soi, qui réponde à tout ce qu'on ressent confusément, cet immense appel qui déborde du cœur pour on ne sait quoi, mais à quoi, on est sûr, on a droit. Et c'est en même temps se résigner à n'obtenir que des bribes, que des bouts. Et alors on a peur de trop rêver. Finalement, ce qu'on sait bien, au fond de soi, c'est ce qu'on ne veut pas. On ne veut pas que la vie soit ce lent processus qui voit, peu à peu, au fil des ans, les portes se fermer les unes après les autres. Ce qu'on ne veut pas, c'est la résignation : on subit, on accepte. On en fait une philosophie. On appelle cela la sagesse. Accepter la vie comme elle est. Faire de la résignation un art de vivre. J'espère, pour le temps qui me reste, avoir la même ardeur, le même courage. J'espère ne pas me résigner. Ne pas devenir sage. »

Voilà ce que j'ai écrit, juste avant l'été. Soi-disant pour une association d'aide aux enfants malades. En fait, je le sais bien aujourd'hui, c'est à moi que j'écrivais. J'étais en train de quitter mon journal. Et c'était une telle déchirure que je ne savais pas si j'aurais le courage. Alors, quand cet éditeur m'a appelé, j'ai dit oui pour me forcer à écrire, pour affronter le vide, habiter ce temps qui m'était donné et qui me faisait peur. J'ai écrit pour me donner du courage. Je n'en veux pas aux responsables de l'association d'avoir refusé mon texte (« trop noir, trop pessimiste »). J'aurais fait exactement la même chose. Il n'était pas pour eux. C'était entre moi et moi. Comme un rendez-vous intime, dans l'urgence. Toutes ces années à faire un métier qu'on aime, dans un journal qu'on aime. Et puis le saut dans le vide. Toutes les questions, alors, qui se bousculent, sur la liberté, le choix, le destin, le temps qui reste. Toutes ces questions dont on ne sait pas quoi faire. Qui font revenir l'enfance, le long film de la vie, des flashs, des bouts, des bribes, des images en accéléré ou au contraire des arrêts imprévus, insistants, qu'on interroge sans les comprendre.

Avoir du temps, c'est un vertige. Une grâce, aussi, sans doute. Violente et cruelle. On affronte son destin, de gré ou de force. On refait l'histoire. On débusque des énigmes. On croise des fantômes. On bute sur des secrets. Tout arrive par bouffées, à l'improviste, par effraction. Qu'est-ce qu'une vie ? Qu'est-ce qui fait qu'on peut dire : voilà, c'est ma vie ? Le travail, les rencontres, l'amour, les enfants, les deuils, les échecs, les souffrances... Et ces moments d'incroyable bonheur avec celle qu'on aime, avec les enfants, avec la couleur du ciel et l'odeur de la terre. Ces moments qu'on se jure de ne jamais oublier, comme un viatique pour affronter la vie quand on ne sait plus, quand on a peur.

Mais ces questions, aussi, viennent d'ailleurs. Elles viennent de ce qui m'arrive, depuis deux ou trois ans. J'ai écrit deux livres sur ma vie, des livres autobiographiques. L'un sur mon enfance, en Normandie puis en Bretagne, à Trans, un petit village au-dessus de la baie du Mont-Saint-Michel, dans une famille nombreuse (cinq garçons, cinq filles) élevée dans la tradition catholique. Et tirant le diable par la queue. Une enfance qui a été le paradis terrestre, tellement j'ai été heureux, miraculeusement heureux, au sein de la tribu familiale, avec mes frères et sœurs, dans l'incroyable liberté de la campagne, dans le bonheur des jeux, des livres, de l'aventure. Et en même temps l'enfer, à cause de la guerre entre mes parents. Et la mort de mon père, cet étranger, l'année de mes quinze ans. La mort de ma mère, dix ans plus tard. Le suicide de ma sœur Agnès, malade de l'âme depuis si longtemps. L'autre livre, c'était pour raconter comment j'avais voulu être prêtre, comment j'avais failli l'être, pour obéir à ce que je croyais être ma vocation. Et comment, peu à peu, pendant mes cinq années de formation, passées à l'étranger, les nœuds s'étaient dénoués. Jusqu'à l'explosion de Mai 68, jusqu'à mon retour en France, dans la jubilation des années soixante-dix, quand tout était possible.

Ces deux livres, j'ai du mal à expliquer, rationnellement, pourquoi je les ai écrits. Sinon que j'ai toujours su, au fond de moi, qu'un jour je raconterais mon enfance, l'histoire de ma famille. Parce que c'était trop fort, trop intense. C'était là, enfoui en moi, sans cesse, partout où j'étais, dans toutes les circonstances de ma vie, comme un rappel obsédant de ma vérité, de mon être profond. Je savais que je l'écrirais. Non pas tellement par besoin, mais par nécessité. Je ne pouvais pas y échapper. C'était là, pressant, insistant. Comme un devoir, une obligation. Il fallait seulement trouver les mots, les phrases. La musique. Ne rien trahir. Il a fallu du temps, beaucoup de temps, avant de pouvoir le faire. Ce premier livre, je l'ai écrit comme un long voyage au pays de l'enfance, de l'adolescence, retrouvant intactes des sensations, des odeurs, des lumières, puis m'enfonçant au fond de la nuit, dans l'angoisse et la peur. Juste après l'avoir remis à mon éditeur, j'ai failli faire demi-tour pour aller le reprendre, le lui arracher des mains. Je me disais que j'étais fou. Je me demandais ce qui m'avait pris, de rendre publique cette histoire, de m'exhiber, de m'exposer en plein jour. J'avais donné ce livre comme pour m'en débarrasser, parce qu'il me brûlait les mains. Et je voulais le reprendre pour me protéger, pour protéger ma famille, mes frères et sœurs. Mais je l'avais écrit. Il existait. Je l'avais donné. Je ne savais plus quoi faire. Oui, je me disais que j'étais fou.

Puis le livre est sorti. J'aurais voulu m'enfoncer sous terre, être invisible. Et puis voilà : dès le premier jour sont arrivées des lettres. Chaque jour plusieurs lettres. Que j'ouvrais le soir, en tremblant. Parce que ceux qui les écrivaient se saisissaient de mon livre comme d'un miroir, pour me raconter leur vie à eux. Comme des secrets murmurés à l'oreille, de lourds secrets que l'on décide de confier, parce que la mémoire soudain s'est réveillée, parce que les souvenirs sont trop forts. Ce sont des lettres qui s'appuient sur ma vie à moi pour me dire d'autres vies, si proches, si semblables, m'assurent-elles. Elles commencent presque toutes par les mêmes mots : ce que vous racontez, c'est mon histoire à moi. Et je n'arrive pas à le comprendre, je ne peux pas le comprendre. Parce que j'ai le sentiment que mon histoire est tellement personnelle, qu'elle n'appartient qu'à moi, qu'elle est à la source de ce que je suis, moi, au plus intime de moi. Mais je les lis, ces lettres, j'écoute ce que me disent tous ces lecteurs que je ne connais pas. J'essaie de comprendre. Je me souviens de cette lettre, l'une des toutes premières. Une jeune femme qui m'écrivait : je suis fille unique, je suis née à Paris, dans une famille bourgeoise. Et votre histoire, c'est la mienne. Elle me dit ça à moi, huitième d'une famille de dix, enfant de la campagne... Et pourtant oui, elle avait raison. Lisant sa lettre, je suis obligé de reconnaître qu'elle a raison. Parce qu'elle me raconte la guerre, l'absence d'amour entre ses parents. Le silence de son père. L'enfer de son enfance.

Et voilà ce qu'elles me disent, ces lettres : des histoires de famille, ce qui se joue à l'intérieur des familles. Je ne veux pas, je ne peux pas les citer, les reproduire telles quelles : ce sont des confidences, des secrets que je ne peux pas trahir. Ce sont des lettres qui parlent de l'enfance, du temps des rêves et de l'insouciance. Qui parlent du bonheur de l'enfance. Quand il y a eu des rêves et de l'insouciance. Quand il y a eu du bonheur. Mais ce qu'elles disent, surtout, c'est la solitude, le manque d'amour, toutes ces cicatrices de l'enfance qui ne se referment jamais. Des gens très âgés et des adolescents me parlent des blessures de l'enfance avec la même intensité, la même douleur. Le temps ne guérit rien, n'efface rien. Des adolescents hurlent ou murmurent le manque d'amour, voudraient qu'on leur parle, qu'on les aime. Et des vieillards sont à jamais ces adolescents qu'on n'a pas su aimer. Beaucoup d'histoires tournent autour du père, de l'absence et du silence du père. L'alcool, souvent, les coups, la violence à la maison. Des filles me parlent de la souffrance de leur mère, battue, humiliée. Le père qu'on ne comprend pas, qui reste un étranger. Parfois jusqu'au bout, jusqu'à sa mort. Alors qu'on espère, jusqu'au bout, la réconciliation, les paroles d'amour et de pardon qu'on a tellement attendues, désespérément. Il y a de vieilles rivalités entre frères et sœurs, qui durent et n'en finissent pas. Parfois c'est presque tout un siècle qui m'est raconté, des gens qui se savent au terme de leur vie et qui font défiler la succession des malheurs, la guerre, la perte de l'amour, les échecs, la souffrance et, à la fin des fins, la solitude et le silence. La mort qui rôde, la mort partout. Ces rêves de vie heureuse, cet appel du bonheur, et tout qui s'effiloche, qui tombe en lambeaux. Les pires questions sont celles du suicide. Le suicide d'un père, d'une mère, d'un frère, d'une sœur, d'un enfant. Pourquoi ? Où a-t-on failli ? Qu'est-ce qu'on n'a pas vu, pas entendu ? J'ai parlé, dans mes livres, du suicide de ma sœur Agnès. Alors eux aussi m'en parlent, eux aussi me disent l'effroi, l'impuissance, ce qui ne reviendra jamais, ce qu'on ne pourra jamais comprendre.

Je lis ces lettres, toutes ces lettres, la gorge serrée, ce ne sont pas des lettres qu'on lit et qu'on oublie, ce sont des lettres qui me brûlent les doigts et qui me poursuivent. J'ai l'impression d'être le dépositaire de toutes ces histoires, de toutes ces vies, livrées en confidence. Je vis avec, avec tous ces secrets écrits parfois d'une main tremblante, ces mots qui reviennent, dans tant de lettres : ce que je vous écris là, je ne l'ai jamais dit à personne. Ou même : je ne vais pas relire ma lettre, sinon je n'aurai pas le courage de vous l'envoyer. Tant de vies brisées, saccagées. Le temps qui file entre les doigts, tout ce qui ne reviendra plus. Ce qu'on a manqué, à jamais. Chaque jour je reçois ces lettres, je les lis comme des secrets très précieux, je les écoute dans ma tête, j'entends les voix de ceux qui les écrivent, je tremble moi aussi en les lisant comme eux en les écrivant. Chaque jour je pense à ces vies, à ces cassures, à ces déchirures, à ces longs chemins dans la nuit. Il y a trop de solitude, trop de souffrance, trop de questions sans réponse. J'ai l'impression d'entrer par effraction dans les familles, dans les couples, dans le secret des âmes. Toutes ces voix qui me chuchotent à l'oreille font comme un récit polyphonique, le lourd poème de la détresse et de l'abandon. Ma vie soudain devient la leur, à tous ceux qui m'écrivent, une autre vie, de loin, à distance, mais si proche, si présente. Ils vivent avec moi, ils sont avec moi. Je ne peux pas faire comme s'ils ne m'écrivaient pas, comme si je ne recevais pas toutes ces lettres.

Je m'approche à pas de loup de toutes ces questions, je reste sur le seuil, en silence, j'écoute ce qu'ils me disent. Pourquoi les rêves de l'enfance ont-ils été trahis ? Pourquoi l'espoir s'est-il perdu ? Qu'est-ce qui se passe, dans une vie, pour que les choses dérapent, se déglinguent ? Aurait-on pu avoir une autre vie, un autre destin ? Ce sont des histoires de chair et de sang, tellement concrètes, tellement présentes, pleines de regrets et de remords. Et qui m'obligent à réfléchir à ma propre vie, à mon propre destin. J'ai voulu remonter le temps, dans mes deux livres. Je suis allé aux sources de la vie, de l'enfance. J'ai fait un long voyage en moi, j'ai ouvert des portes, affronté des fantômes. Mais je ne suis pas quitte avec mon enfance, avec mon histoire. On n'est jamais quitte. Ces lettres me replongent dans ma vie, elles se servent de ma vie pour raconter d'autres vies, elles font resurgir d'autres souvenirs, elles ouvrent d'autres portes. Les lisant, je suis sans cesse renvoyé à mes secrets, à mes vieilles cicatrices. On n'en a jamais fini avec l'enfance.

Le plus troublant, ce sont les lettres qui se greffent directement sur ma propre histoire. Des gens m'écrivent pour me dire qu'ils ont bien connu ma famille, mes parents, tel ou tel de mes frères et sœurs. Et ce sont des gens que moi je ne connais pas, que je n'ai jamais vus. Ce sont souvent des amies d'Agnès, qui me parlent longuement d'elle, qui me disent qu'elles sont venues à Trans, dans ma famille, invitées par Agnès. Elles me parlent de ma mère, de son rire, de son accueil, de la maison ouverte, à Trans, des amis qui allaient et venaient. Je ne les connais pas parce qu'à l'époque j'étais ailleurs, au Canada, à Rome, en Algérie. Elles me parlent de Trans, de la maison, de la chaleur et de la vie dans la maison. Et c'est tellement étrange, pour moi, de lire ces mots, de lire sous la plume d'inconnus ce que je sais, moi, de la maison à Trans, de ce que j'y ai vécu, de ma mère, de mes frères et sœurs. C'est à la fois un sentiment de dépossession et de réappropriation. Je ne les connais pas, les amies d'Agnès, je ne savais pas qu'elles avaient vécu, dormi, mangé à Trans, qu'elles avaient suivi le rituel familial, habité ces murs chargés d'une histoire si personnelle, si intense. Et en même temps, lire le bonheur qu'elles ont vécu à Trans, à la maison, me remplit d'une grande paix. Oui, me dis-je, c'était ça, la maison, à Trans. Les rires et la chaleur, les infinies conversations autour de la table, les chaises et les assiettes pour les amis. Même si je sais, moi, que c'était aussi l'enfer. Avant qu'elles viennent, les amies d'Agnès. Avant la mort de mon père. Du temps de la guerre entre mes parents.

Surtout, elles me parlent d'Agnès, longuement, avec passion, avec émotion. L'humour d'Agnès, sa façon d'aller vers les autres, de nouer les amitiés, d'inviter à la maison. Elles parlent de son caractère entier, passionné, de sa générosité. Elles évoquent aussi les ombres, ce qu'elles pressentaient, ce qu'elles devinaient. Quelques-unes me disent qu'elles ignoraient sa mort, son suicide. Elles l'ont appris, me disent-elles, par mes livres. Elles avaient perdu le contact, elles ne savaient pas ce qu'Agnès était devenue. Et voilà, quelques lignes dans mon livre. Comme une lettre que je leur aurais écrite, à elles. Pour leur dire qu'Agnès était morte.

D'autres lettres me parlent de mon oncle Jean, le frère aîné de mon père. Je l'ai évoqué dans mon dernier livre, cet oncle que j'aimais bien. Malicieux, d'une immense culture, insatiable raconteur d'histoires, toujours en retard, il était prêtre dans la congrégation de Sainte-Croix, comme j'ai moi-même failli l'être. Et je reçois des lettres de gens qui l'ont eu comme professeur, dans les années quarante, quand il enseignait dans une école normale d'instituteurs, près de Segré, dans le Maine-et-Loire. Ils m'en font un portrait magnifique, le professeur de rêve, curieux des autres, attentif, enthousiaste, connaissant par cœur des centaines de poèmes, en écrivant lui-même. Ils me citent, de mémoire, plus de cinquante ans après, des poèmes écrits par mon oncle. Ils me l'apprennent, à moi, que mon oncle écrivait des poèmes. Et ils m'envoient des photos, mon oncle en soutane dans le parc de l'école normale, avec ses lunettes rondes, son béret, son sourire malicieux. Mon oncle que je revois fonçant sur sa moto, la veille de la mort de mon père, son frère…

On vit avec ses souvenirs comme si c'était une deuxième vie, parfois plus forte, plus intense, que la vraie vie qu'on vit. On vit avec des fantômes, des brûlures, des éclairs qui transpercent. Mon oncle fonçant sur sa moto, la veille de la mort de mon père… Voilà ce qui surgit, d'un seul coup, quand je lis les lettres de ceux qui me parlent de lui, quand je regarde les photos qu'ils m'envoient. J'avais quinze ans. C'était la fin de l'après-midi, un jour d'été. Je revenais de Meillac, en vélo, avec un de mes frères, on était allés à Chantepie voir notre grand-mère, la mère de mon père, et Rosalie, sa sœur. Mon père était malade, très malade, on le savait. On rentrait à Trans, à la maison, il ne nous restait plus que quelques kilomètres. La tête emplie des images de Chantepie, de la petite maison de ma grand-mère, le jardin, les fleurs, les poules, le sol de terre battue. Les photos dans des cadres, sur le buffet, la vieille horloge. La grande armoire, où, l'an dernier, ma sœur Madeleine a retrouvé, précieusement conservées, les lettres écrites par mon père, tous les jours, quand il faisait son service militaire au Maroc, quand il avait vingt ans. Et puis voici qu'apparaît une moto sur la route, face à nous, tout au bout d'une ligne droite. La moto grossit, s'approche, va nous croiser. C'est mon oncle, l'oncle Jean. Il lève le bras pour nous saluer, nous lui faisons signe à notre tour. Il a la tête enfoncée dans les épaules. Il a sur le visage une expression que je ne lui ai jamais vue. La peur, la rage, le chagrin. D'habitude, il sourit. Il a le visage rond, les yeux plissés, la bouche malicieuse. Oui, d'habitude. C'est l'oncle Jean, toujours en train de blaguer, de raconter des histoires. Mais là, sur sa moto, le bras levé, il a le visage fermé, le visage bouleversé. Il vient de Trans, de la maison, il est allé voir mon père, son frère. Il rentre à Meillac, à Chantepie, chez sa mère. Et je comprends, d'un seul coup, en voyant son visage, alors qu'il fonce sur sa moto, que mon père va mourir. Nous rentrons, mon frère et moi, dans un grand silence, jusqu'à Trans. L'oncle Jean, sur sa moto, est le messager de la mort. Le soir, après le repas, mon père commence son agonie. Il meurt dans la nuit. Quelques secondes, sur une petite route de campagne, entre Meillac et Trans, en août 62, la vision de mon oncle à moto. Quelques secondes imprimées à jamais, qui reviennent et qui transpercent.

On ne peut pas se débarrasser de ses souvenirs comme on secoue la poussière de ses souliers, avant d'entrer dans la maison. Ils sont là, quelque part, à jamais. On croit avoir oublié, on se plaint de perdre la mémoire. Mais on ne la perd pas. On ne perd pas cette mémoire-là. On ne peut rien contre ces souvenirs-là. Toutes les lettres que je reçois sont hantées par la mémoire, par les souvenirs. Ceux de l'enfance, de la famille, ceux de la mort et du manque d'amour. On vit en double, avec un double de soi dans la mémoire. On vit en se cognant à des fantômes. On s'absente de soi-même, de celui qu'on est, aujourd'hui, parce qu'un autre nous convoque, de toute urgence, un petit garçon, un adolescent, qui pleure, qui se tait, qui prie. Ce n'est pas hier, voilà longtemps, si longtemps. C'est aujourd'hui. C'est maintenant. Ce petit garçon, cet adolescent, c'est lui qui est là, c'est lui qui vous parle.

Je ne sais pas à partir de quand on a son âge, le vrai, l'âge officiel. Je me demande si on l'a un jour. Les autres nous voient tels que nous sommes, à l'âge que nous avons. Les autres me parlent comme à quelqu'un qui a cinquante-cinq ans, presque cinquante-six. Je sais bien que c'est mon âge. Mais je n'ai pas cet âge-là. Je ne parle pas de l'envie d'être plus jeune, du refus de vieillir. C'est simplement que je sais bien, dans ma tête, que je vis dans une vie où je n'ai pas cinquante-cinq ans. Je vis dans un perpétuel aller-retour. J'ai des sentiments, des sensations, qui viennent d'une autre vie. On est chacun dans sa double vie. On parle à des gens qui ont une double vie. On ne sait pas à qui on parle. Pas vraiment. On ne peut pas savoir. Chacun vit avec ses fantômes. Avec l'enfant qu'il a été. Qui le tire par la manche et l'emmène dans le jardin, au milieu des fleurs et des poules. Ou dans la nuit noire, au bord de l'effroi.

Je regarde souvent les gens, dans la rue, dans le métro. J'essaie de lire derrière leurs yeux, derrière leur visage. J'essaie de me glisser dans leurs pensées, dans leurs rêves. J'imagine leur enfance. J'imagine qu'ils pensent à leur enfance. Je suis fasciné par toutes ces vies peuplées d'arrière-vies. Toutes ces portes qui s'ouvrent sur d'autres vies. Combien de portes, en ce moment même, me dis-je, sont ouvertes ? Vers où emmènent-elles ? Qui vient à leur rencontre, à tous ceux que je regarde, quand ils ouvrent la porte ? J'aimerais être Dieu, pour le savoir.

Ces bouffées d'enfance, d'adolescence, ça n'a rien à voir avec la nostalgie. La nostalgie embellit le passé, gomme les ombres, oublie la nuit noire du malheur. Je n'ai aucune nostalgie. Je ne regarde pas en arrière. Je ne suis pas nostalgique de mon enfance, de mon adolescence. Je ne me dis pas que c'était mieux avant, du temps de la maison à Trans. Je ne rêve pas au paradis de l'enfance. Parce que l'enfance est aussi bien un enfer qu'un paradis. J'ai vécu l'intensité du bonheur et l'intensité du malheur. La vie ne se divise pas, ne se sépare pas. Simplement, c'est le passé qui est là. C'est le passé qui tisse la vie de ses fils emmêlés.

Pendant des années, tous les soirs, dans mon lit, j'ai prié pour que mes parents s'entendent. Pour que cesse la guerre. Pour qu'ils s'aiment. Je n'osais même pas imaginer ce que serait la vie ensemble, dans la famille, après ce miracle, après la réconciliation entre mes parents, vivre avec des parents qui s'aiment. Je ne voulais pas rêver, fantasmer, me voir après ce miracle. Je voulais juste qu'ils s'aiment. Que ça arrive, un jour. Comme si c'était possible. Comme si la guerre, un jour, pouvait s'arrêter. C'était la seule chose que je voulais, c'est la seule chose que j'aie jamais demandée, le soir, dans mon lit, à Trans ou au dortoir, à Dinan. C'était une prière du désespoir. C'était une demande insensée, faite à la seule personne qui pouvait, croyais-je, exaucer une demande insensée, qui en avait le pouvoir, Dieu. Parce que bien sûr c'était impossible, je voyais jour après jour, soir après soir, quand mon père rentrait à la maison, le mur de haine, l'incapacité à se parler, à se dire des mots simples, des mots de tous les jours. Comme j'aurais aimé qu'ils se disent, une fois, rien qu'une fois, « comment s'est passée ta journée », « il a fait beau aujourd'hui », « j'ai lu une drôle d'histoire dans le journal », n'importe quoi, des paroles simples dites simplement, entre personnes qui s'aiment et qui s'estiment. Voilà ce que j'ai demandé, patiemment, désespérément, pendant des années. Et ce n'est jamais arrivé. Jamais. Ou trop tard, la nuit de la mort de mon père, ce regard de ma mère sur mon père en train de mourir, où j'ai cru voir le désespoir de la perte de l'amour, qui est déjà de l'amour.

C'est peut-être pour cela que j'ai toujours accueilli comme un miracle le plus petit événement, le plus minuscule instant de bonheur. J'ai vécu, à Trans, dans ce petit bourg en pleine campagne, comme au milieu d'un royaume où les miracles étaient quotidiens. L'infini manège de nos jeux dans la cour, au milieu des poules et des lapins, les milliards d'heures passées à jouer, nous les enfants, absorbés corps et âme dans l'invention de nouvelles vies, de nouveaux personnages, perdus dans le labyrinthe de notre imaginaire. Toutes ces aventures tête au vent, sur les petites routes autour de Trans, dans les bois, les taillis, dans la forêt de Villecartier, en quête de trésors cachés, de souterrains secrets. Ou bien l'arrivée impromptue d'un parent, d'un ami, la fête à la maison, autour de la grande table de la cuisine. La lecture d'un livre dont on sort ébloui, chaviré. Oui, tous ces miracles quotidiens, à Trans, dans les années cinquante.

Et je ne parle pas des miracles improbables que j'attendais, confiant. A force d'entendre, à l'église, au catéchisme, des récits d'apparition (il semblait, en ce temps-là, que la Vierge n'arrêtait pas d'apparaître à des enfants), je me disais que ça pouvait très bien m'arriver, à moi aussi. Je regardais le ciel, sans me lasser, le jeu des nuages dans le ciel. Je guettais une forme, un visage. J'étais là, sur la route, en train de scruter le ciel, confiant. Et si ça n'arrivait pas ce jour-là, ce n'était pas grave, ça finirait bien par arriver, plus tard. J'avais le temps. J'étais patient. Un jour, je devais avoir sept ou huit ans, j'ai même cru, dur comme fer, que j'allais rencontrer le printemps. Oui, le printemps, en chair et en os. J'avais lu ça dans un des illustrés qu'on lisait à la maison, sans doute *Fripounet et Marisette.* Un article qui devait s'appeler « Sur les traces du printemps ». C'était raconté comme une histoire de détective. Le héros, un enfant comme moi, se promenait dans la campagne, une loupe à la main, pour découvrir les signes de l'arrivée du printemps. On le voyait dans les champs, dans les chemins creux, sa loupe à la main, à la recherche du printemps. Moi, j'ai pris cette histoire au sérieux. Je l'ai lue au premier degré. J'étais persuadé que j'allais rencontrer le printemps en personne. Je me suis fabriqué une loupe artisanale, découpée dans une boîte en carton. Et je suis parti sur les traces du printemps, tout autour de Trans, ma loupe à la main. Quelqu'un m'a demandé ce que je faisais là, à regarder les buissons et les haies, avec ce truc en carton à la main. J'ai dit que je voulais rencontrer le printemps. On s'est bien moqué de moi, dans la famille. De ma crédulité. N'empêche que j'aurais bien aimé le rencontrer, le printemps. Je leur aurais cloué le bec, aux ironiques, aux sceptiques. Qui ne croient à rien, qui n'attendent rien. J'ai gardé de toutes ces années une absolue confiance dans l'aventure de la vie. Plus tard, adulte, je ne crois pas avoir passé une seule journée sans attendre un miracle. Juste un petit miracle. J'ai toujours eu, le matin, l'impatience des miracles du jour. Chaque jour est gagné contre la mort. Et je crois que c'est la mort qui fait voir des miracles.

Un jour, enfant, j'ai manqué me noyer. Je nageais dans l'étang, au milieu de la forêt de Villecartier, j'allais à la rencontre de deux de mes frères qui faisaient la traversée dans l'autre sens. Soudain, au beau milieu de l'étang, j'ai coulé à pic, d'un seul coup. Je n'ai jamais compris pourquoi. Plus de forces, plus de souffle. Je me suis senti descendre dans l'eau, vers le fond, je n'ai pas eu mal, je n'ai pas eu peur, rien qu'une sensation d'immersion, de disparition dans l'univers liquide. Voilà, c'est ainsi, un jour on coule, on s'enfonce, on disparaît, happé par le fond, par les profondeurs. Voilà, c'est fini. Soudain, j'ai senti une force qui me tirait, qui me propulsait vers le jour, vers la lumière. C'était Jean, mon frère aîné, qui m'avait vu couler et qui avait plongé. Je me suis retrouvé sur ses épaules, arraché à la nuit de l'étang, en plein soleil, éclaboussé de soleil. Couler, c'était facile. Et puis voici cet arrachement, cette poussée vers le haut, vers la vie. Je n'ai jamais oublié ce bonheur brutal de la vie retrouvée. Cette explosion dans mes poumons, dans mes yeux, dans mes oreilles. Je ne sais pas comment expliquer cette sensation d'abandon, de destin, quand je me suis senti couler, disparaître, quelques secondes de trou noir sans pouvoir rien faire, sans pouvoir me battre, moi, pour échapper au destin. Et en même temps cette absolue certitude que quelque chose allait se passer, que ce n'était pas possible, qu'il allait y avoir un miracle. Et me voici sur les épaules de mon frère, en pleine lumière, en plein soleil, aspirant à grandes goulées la simple sensation d'être vivant. J'ai pris, ce jour-là, des réserves de vie pour la vie entière. Et j'ai touché du doigt, à m'en brûler, la certitude que la vie nous est donnée.

C'est ce que m'écrit une lectrice, qui me dit qu'elle est venue tout exprès de chez elle, dans les Vosges, jusqu'à Trans, pour voir, de ses propres yeux, ce que je raconte dans mes livres. C'est une démarche qui me paraît, à moi, complètement extravagante. Ils sont nombreux à l'avoir fait et j'ai d'abord lu ces lettres en écarquillant les yeux, en me pinçant. Mais en même temps, au fond de moi, je suis plus que touché : bouleversé. Tous ces gens à la rencontre de mes fantômes, sur les pas de l'enfant que j'ai été… La voici donc, cette lectrice des Vosges, arrivée à Trans. Elle essaie de se repérer, elle cherche le carrefour où est la maison, elle hésite, elle demande, elle trouve la maison, elle regarde par la fenêtre, elle frappe au carreau. Le nouveau propriétaire lui ouvre, il n'a pas l'air surpris, il lui dit entrez donc, vous pouvez visiter la maison, elle n'a pas tellement changé depuis la famille Rémond. Elle entre, elle regarde – et j'ai le cœur qui bat en lisant ce qu'elle écrit. Le propriétaire lui dit, d'un air de conspirateur, si vous voulez je peux vous montrer une surprise, là-haut, dans le grenier. Le grenier ! L'endroit le plus secret de la maison, le repaire de nos jeux les plus mystérieux, les jours de pluie, au milieu des harnais, des colliers de chevaux de trait, des outils laissés là par le bourrelier qui habitait la maison avant nous… Ils montent l'escalier, ils arrivent dans le grenier. Et là, le nouveau propriétaire lui montre une inscription à la craie, sur une poutre. C'est écrit, en grand : VIVE LA VIE ! C'est nous qui avons tracé ces lettres, il y a si longtemps, quelques dizaines d'années. J'ignore lequel d'entre nous, les enfants. Je ne me souviens pas non plus en quelle occasion, en quelle circonstance. Mais nous l'avons écrit. Vive la vie ! C'est le cri du bonheur, qui veut être plus fort que le malheur. C'est écrit « vive la vie », contre le désespoir. Mais le nouveau propriétaire veut lui montrer autre chose, à cette lectrice des Vosges. Il l'entraîne au fond du grenier. Sur une autre poutre, c'est écrit, toujours à la craie : VIVE LA MUSIQUE ! Pourquoi avons-nous écrit ces mots magiques ? Je n'en ai aucune idée. Mais voilà, c'était nous, les enfants, dans le grenier, à Trans, capables d'écrire, sur une impulsion, dans un élan d'enthousiasme, cette proclamation comme un cri de ralliement. Vive la musique… Vous ne saurez jamais, chère lectrice des Vosges, le bien que vous m'avez fait.

De toute façon, ce qu'a été notre vie, on met parfois longtemps à le comprendre. On regarde en arrière, et soudain apparaît comme une évidence quelque chose que, jusqu'ici, on n'avait pas vu. Un jour, j'ai réalisé que j'avais vécu plus longtemps avec mes beaux-parents qu'avec mes propres parents. J'avais quinze ans à la mort de mon père, vingt-cinq à la mort de ma mère. Je me suis marié avec Anne l'année d'après la mort de ma mère. Je n'avais plus de parents. J'avais des beaux-parents. Et j'ai passé plus de temps, j'ai vécu plus d'années avec mes beaux-parents qu'avec mes parents. J'ai eu avec mon beau-père, le père d'Anne, toutes les conversations que je n'ai jamais eues avec mon père. J'ai aimé parler avec lui, échanger avec lui, me promener avec lui, jardiner avec lui. Je l'ai beaucoup aimé, le père d'Anne, qui est mort voilà trois ans. Et sa mère, morte l'année suivante. Mais pourquoi n'ai-je pas pu avoir avec mon père ces discussions, ces simples conversations, ce bonheur d'être ensemble, dans le jardin, à regarder les fleurs, cette complicité qui fait qu'on se comprend sans même rien se dire ? J'ai passé plus de temps avec le père d'Anne, j'ai été heureux avec lui, j'ai abordé avec lui tous les sujets qui me tiennent à cœur, et jamais avec mon père. Mes enfants ont joué pendant des années dans le jardin des parents d'Anne, ils ont joué avec sa mère, appris à faire des confitures avec elle, ils ont appris à coudre, à tricoter avec elle, jamais avec ma mère. Ils n'ont pas connu ma mère. Je n'ai pas pu emmener mes enfants en vacances chez ma mère. Elle n'a pas pu leur apprendre ses secrets. Elle n'a pas pu jouer avec eux dans la cour, à Trans, au milieu des poules et des lapins. Leur maison de vacances, où ils ont passé tellement d'étés, où ils se sont fait tellement de souvenirs, c'est la maison des parents d'Anne. Où j'ai, moi aussi, été si heureux. Et cette maison, aussi, vient d'être vendue, après la mort des parents d'Anne. J'ai connu cette souffrance, cette révolte, quand il a fallu vendre la maison, à Trans, après la mort de ma mère. Abandonner à jamais le royaume de l'enfance. Alors je connais la souffrance d'Anne, sa révolte, quand il a fallu vider les armoires, les placards, le grenier, trier, jeter, donner, se répartir, entre frères et sœurs. Quand il a fallu fermer la porte, un soir, pour la dernière fois. Quand il a fallu dire adieu à la maison, au grand jardin. Ce n'était pas ma maison, la maison de mon enfance. Mais c'était celle d'Anne, c'était celle des vacances de nos enfants. Et j'y ai passé plus d'étés que j'en ai passé, de toute ma vie, à Trans. J'ai eu une belle histoire, avec les parents d'Anne. Et c'est un cadeau de la vie, de les avoir connus. De les avoir aimés. Ce qui n'a pas de sens, ce qui est insupportable, c'est d'avoir passé tout ce temps, toutes ces années, sans mes parents. C'est de ne pas avoir eu avec mon père une deuxième chance. De n'avoir pu, adulte, vraiment le rencontrer, vraiment l'aimer. Avoir avec lui les conversations que j'ai eues avec le père d'Anne. Et pourquoi ma mère n'a-t-elle pas pu parler avec Anne, jardiner avec Anne, jouer avec nos enfants ?

Je veux me souvenir de la chambre, au premier étage de la maison des parents d'Anne, où nous dormions, où nous faisions l'amour. Je veux me souvenir de la petite table, dans cette même chambre, où j'écrivais, dans la torpeur des longs après-midi d'été. Je veux me souvenir du tilleul que je voyais par la fenêtre, du bruit du vent dans les feuilles du tilleul, alors que j'écrivais mon livre sur mon enfance à Trans, sur mes parents, sur ma famille. Je veux me souvenir de ces moments où je les ai réunis, dans la chambre du premier étage, les vivants et les morts. Je veux me souvenir de ces soirées où je retrouvais les parents d'Anne, après avoir, dans ma mémoire, retrouvé mes parents, au bord des larmes pour avoir écrit ce qui était perdu.

Mais il y a autre chose, que j'ai compris au fil des ans : quand on épouse quelqu'un, on épouse aussi son passé, ses souvenirs. Depuis que je connais Anne, je me suis enrichi de ses souvenirs à elle. J'ai une double mémoire, la mienne et la sienne. L'enfance d'Anne m'est aussi précieuse que la mienne. Et l'histoire de sa famille, ses oncles et ses tantes, ses grands-pères et ses grands-mères. Elle est l'héritière de tout ce passé et, vivant avec elle, j'ai aussi ma part d'héritage. Découvrant la grande maison de ses parents, son grand jardin, je la vois enfant dans cette maison, dans ce jardin. J'épouse ses rêves et ses blessures d'enfant, ses frayeurs et ses éblouissements. C'est une chose étrange d'accéder ainsi à la mémoire de quelqu'un d'autre, aux secrets de son enfance. Je ne serais pas le même sans cette mémoire, sans ces secrets. Sans la découverte de ce monde qui est le sien, là d'où elle vient. Anne est d'un autre milieu que le mien, on pourrait presque dire que nous sommes aux antipodes. Grandes maisons, grands jardins, vie plus facile, tellement plus facile. Matériellement, bien sûr : le confort, l'espace, ce qu'on appelle l'aisance. Pour le reste, la vie reste la vie, souffrances et deuils, bonheurs et malheurs, chacun affrontant le mystère de son destin. J'ai découvert, avec Anne, un autre milieu, une autre famille. La sienne m'est apparue plus sage, plus tranquille que la mienne. Tout a toujours été si passionnel, dans ma famille, si intense, toujours à s'enflammer, à s'enthousiasmer, à se lancer dans d'infinies discussions, chacun défendant son point de vue, sa vérité, plutôt mourir que capituler. Oui, tout est plus feutré, dans la famille d'Anne. On s'écoute les uns les autres, on fait dans la nuance, dans la demi-teinte, on évite les affrontements. C'est ainsi que je la perçois, au début, et c'est un vrai dépaysement. Sans parler des grandes maisons et des grands jardins. Mais je me suis senti tellement proche d'Anne, dès notre première rencontre, peu de temps après Mai 68. La même révolte, la même envie de rupture, la même exigence de vérité, de sincérité. Tout à changer, tout à inventer. Anne et son exigence, Anne et sa sincérité… Pas simple, certainement, pour elle, à cette époque-là, avec sa famille, avec son milieu. Pas simple, non plus, pour elle, de découvrir ma propre famille, la tribu Rémond. Anne m'a servi de passeur vers sa famille.

Et j'ai joué pour elle le même rôle. On a inventé, ensemble, autre chose. On s'est fabriqué notre monde à nous. J'ai appris à aimer la famille d'Anne, famille nombreuse elle aussi, sept enfants. J'y ai trouvé ma place, j'ai découvert et aimé ses parents et ses frères et sœurs. J'ai partagé la souffrance d'Anne, sa révolte et son inconsolable douleur à la mort de sa sœur Denise, emportée en quelques mois par un cancer, voilà trois ans. J'ai aimé Denise comme une sœur, comme ma sœur. Et je ne peux pas me faire à sa mort, je pense sans cesse à elle, comme à ma sœur Agnès. Je regarde avec Anne ses albums de photos, celles de sa famille, de son enfance. Je n'y vois pas tout ce qu'elle y voit, tout ce qu'elles soulèvent en elle de souvenirs, d'émotions, de sensations, je reste au bord, c'est un royaume où je ne suis qu'un invité, ce ne sont pas mes secrets ni mes rêves. Et pourtant ma vie est désormais faite aussi de ces photos-là, de ce qu'elles révèlent. J'écoute Anne me parler de ce jardin, de cette maison, de cette bande d'enfants sur la terrasse, de ces jeux dans le grand pré, de ces oncles et de ces tantes en visite, c'est son monde à elle, et c'est aussi, mystérieusement, devenu le mien.

Comment comprendre ce qu'est une vie, comment la déchiffrer ? Je suis né dans une maison d'une seule pièce, en plein champ, j'ai passé toute mon enfance à la campagne, j'ai vécu cinq ans à l'étranger, j'habite depuis plus de trente ans à Paris, je suis parisien, mes enfants sont parisiens. J'ai changé de monde, j'ai changé de culture. J'ai voulu être prêtre, religieux, j'ai passé plusieurs années dans cet univers et puis je me suis marié, j'ai eu des enfants. Je suis devenu journaliste. Je n'ai jamais pensé, enfant, adolescent, qu'un jour je serais journaliste. J'étais sûr que je serais prêtre. J'ai aimé cette idée, longtemps. J'ai vécu comme un moine, au noviciat de Sainte-Agathe-des-Monts, dans les Laurentides, au Québec. J'ai aimé cette vie de silence, d'étude, de prière. J'ai fantasmé sur l'idée d'enfouissement, une vie enfouie dans une petite communauté, au service du Christ, au service des plus pauvres. J'y croyais, j'étais sûr que je serais heureux dans cette vie-là, rythmée par les offices, nourrie par le silence. Et puis j'ai pris le large, bousculé par la vie du monde, par les rencontres, les événements. Bousculé, aussi, par mes propres questions, mes angoisses, mes révoltes. Par l'impérieuse nécessité d'exercer ma liberté, par le refus d'un plan qui aurait été écrit pour moi de toute éternité, ce qu'on appelle la vocation. En même temps, ce qui m'a vraiment fait changer de vie, ce qui a déclenché ma nouvelle vie, c'est un accident, au sens strict : un accident de voiture, qui m'a laissé au bord de ma vie pendant des mois, qui m'a donné le temps nécessaire pour larguer les amarres, partir, décider pour moi seul. Dans l'angoisse et la peur. C'est une succession de hasards qui m'a fait devenir journaliste. C'est l'amour du cinéma qui m'a donné envie d'écrire sur le cinéma. Puis une chaîne de rencontres. Je n'avais pas d'idées précises sur ce que je voulais faire. J'étais ouvert à tout, disponible, avec au fond de moi des passions, des envies, plus ou moins confuses. La seule chose que j'aie vraiment voulu être, la seule voie dans laquelle je me sois totalement et volontairement engagé, c'était la prêtrise, la vie religieuse. Et je ne suis pas devenu prêtre, religieux. Je n'avais jamais pensé au journalisme, je n'ai jamais décidé d'être journaliste. Et je suis journaliste depuis près de trente ans. J'ai consacré ma vie au journalisme.

J'ai mis toute ma vie dans ce métier, que j'ai exercé avec passion, avec enthousiasme. Et je suis aujourd'hui au chômage. J'ai souvent reçu, dans mon journal, des gens qui cherchaient du travail. Je ne suis pas sûr d'avoir su leur parler, d'avoir su les écouter. Je suis, aujourd'hui, de l'autre côté du bureau. Je suis celui qui cherche du travail. La vie a le sens de l'humour. Même si c'est de l'humour noir.

J'ai sous les yeux, exhumé d'un vieux classeur, mon tout premier article. Il est daté de janvier 1971. Et publié dans un mensuel nommé *Rive gauche*, en réalité le bulletin paroissial de l'église Saint-Sulpice, à Paris. C'est l'époque où je fréquentais la crypte Vatican II, située juste en dessous de l'église, repaire de cathos de gauche en froid avec l'Église officielle et institutionnelle. En rentrant en France, après cinq années passées à l'étranger (et après avoir tiré un trait sur ma « vocation » religieuse), c'est là que je me suis fait mes premiers amis parisiens, tous marqués par Mai 68. De fil en aiguille, comme naturellement, on me demande un jour si je n'aurais pas par hasard une idée d'article pour *Rive gauche* (dont le public, je le précise, ne déborde pas les frontières du 6e arrondissement). Si, j'en ai une. J'ai envie d'écrire sur Paol Keineg, un jeune poète breton qui chante le réveil d'une Bretagne « chloroformée » et lui prédit, avec des accents lyriques, un avenir socialiste. C'est bien sûr ma façon de mettre les pieds dans le plat, de revendiquer mon histoire de provincial débarqué à Paris (et militant au PSU), au milieu de cette bourgeoisie éclairée. On m'écoute poliment, gentiment. Puis on me demande comment diable justifier la publication d'un tel article dans un bulletin paroissial du 6e arrondissement, à Paris. J'ai une réponse, toute prête : c'est plein de Bretons autour de Montparnasse. Or que savent réellement les Parisiens de la Bretagne d'aujourd'hui ? S'ils veulent le savoir, qu'ils lisent Paol Keineg. Voilà comment j'ai emporté le morceau. Et comment j'ai publié mon premier article. Dont la lecture, aujourd'hui, me fait monter le rouge au front, tellement il est naïf et maladroit. J'enchaîne, toujours pour *Rive gauche*, avec une interview de Joe Dassin. Le prétexte, cette fois, est plus facile à trouver : il habite rue d'Assas, dans le 6e arrondissement. Je note que dans ces deux articles je trouve le moyen de citer Bob Dylan, objet de mon adoration monomaniaque, sur lequel je suis, à l'époque, en train d'écrire un livre. Plus tard, dans d'autres journaux, je ne me contenterai pas de le citer : j'écrirai des articles entiers à sa gloire (et je n'ai pas dit mon dernier mot).

Mais il n'y a pas que la poésie bretonne et la chanson dans la vie. Il y a aussi le cinéma. Il y a surtout le cinéma. J'adore le cinéma. Je passerais mes journées dans les salles de cinéma (enfin, quand j'ai un peu d'argent). Mon ami Yves, que je connais depuis le pensionnat de Sainte-Croix, à Dinan, et qui est aussi dingue que moi de cinéma, vient de décrocher un boulot de secrétaire de rédaction à *Téléciné*, un mensuel de cinéma. Il parle de moi au rédacteur en chef. Qui me propose de faire un essai. Et voilà, c'est parti. Je quitte *Rive gauche* et Saint-Sulpice pour le paradis cinéphilique. Un des collaborateurs réguliers de *Téléciné*, devenu un de mes plus proches amis, m'introduit dans d'autres revues de cinéma. En 1971 et 1972, alors que je suis professeur d'audiovisuel dans la banlieue, j'arrive ainsi à placer des critiques de films à droite et à gauche. Jusqu'à ce saut décisif, ce passage pour de bon dans la presse : mon entrée à *Télérama*.

A l'époque, *Télérama* ne se vend que par abonnements. Et dans les églises (il fait partie du groupe La Vie catholique). Fin 72, il rachète un journal de programmes de radio. Ce qui lui donne des dizaines de milliers de lecteurs supplémentaires. Et, du coup, les moyens de se vendre en kiosque. Il se trouve que l'ami qui m'a introduit dans les revues de cinéma est également pigiste à *Télérama*. C'est l'occasion ou jamais, m'assure-t-il, de tenter ma chance : *Télérama* va grossir et va sûrement avoir besoin de nouveaux pigistes. Il parle de moi au directeur de la rédaction (bis). Qui me demande si j'ai une idée d'article (bis). Oui, j'en ai une. J'ai envie d'écrire sur la vision que se fait de la province le cinéma français, que je trouve très parisien et très bourgeois (comme quoi j'ai de la suite dans les idées). D'accord, dit le directeur de la rédaction. Et voilà. J'écris mon article. Je le corrige. Je le refais. Je le re-corrige. Et il est publié, au mois de février 1973. Date officielle de mon entrée dans la grande presse. Le directeur de la rédaction s'appelle Francis Mayor. Il est à moitié italien, à moitié espagnol. Et cent pour cent provençal. Comme moi, il a failli être prêtre. Comme moi, il a été étudiant à l'université Grégorienne, à Rome. Pendant mon séjour au Canada, le temps de mon noviciat, je regardais la télévision pour tout savoir sur le concile Vatican II. Et qui était le correspondant spécial de la télévision canadienne au concile ? Francis Mayor. Il n'y a pas de hasard.

C'est Francis Mayor qui m'apprend le métier de journaliste. Qui me communique sa passion, son enthousiasme, son sens du partage : on n'écrit pas pour une élite, on écrit pour tous. Il règne sur une rédaction de vingt journalistes (pigistes compris), au grand maximum. *Télérama* est installé dans un vieil appartement, on est les uns sur les autres, on fait le journal avec des bouts de ficelle, mais qu'est-ce qu'on s'amuse ! Je suis affecté au service Cinéma, mais le principe général est que chacun peut écrire sur tout ce qui l'intéresse, dans tous les domaines. Je ne m'en prive pas. J'écris sur les films, mais aussi sur les livres, la télévision, la musique. Et, bien entendu, sur Bob Dylan. Là aussi, j'ai trouvé le prétexte : une émission sur les États-Unis. Et qui révèle mieux la société américaine que Bob Dylan ? Hein, qui ? J'écris compulsivement, plusieurs articles par semaine, comme dans un rêve. Je n'en reviens pas d'être payé pour aller voir des films. Pour écrire sur des films. Et sur tout le reste. Sans parler des interviews, des rencontres avec tous ces cinéastes, tous ces acteurs (-trices) qui me fascinent et me font rêver. Que j'admire. J'ai attrapé le virus. Je suis devenu journaliste. Au bout de six mois comme pigiste, je suis officiellement engagé. Salarié. Nous sommes une petite bande du même âge. Les autres nous appellent les Jacques. Parce que trois d'entre nous se prénomment effectivement Jacques. Il y a aussi, chez les Jacques, Dominique-Louise, engagée le même jour que moi. Nous, les Jacques, on est toujours ensemble. Quasiment jour et nuit. Quand je me marie avec Anne, en mars 1973, tous les Jacques sont bien sûr de la fête. On ne se connaît que depuis un mois. On se connaît depuis toujours. On est comme des chiens fous, dans ces folles années soixante-dix. On fait le journal dont on rêve. On a une chance incroyable. On est vraiment les rois.

C'est de ce journal-là que j'ai été obligé de partir, au début de l'été 2002. C'est cette histoire-là qui vient de se terminer. Mais j'ai tous ces souvenirs, mes premiers mois à *Télérama*, l'enthousiasme et la liberté, le privilège de faire ce qu'on aime, de découvrir que c'est cette vie-là qu'on veut vivre, passionnément. Après, il y aura des conflits, des bagarres, parfois les doutes et la lassitude. Mais il y aura toujours cet élan des débuts, cette ivresse des premiers jours. Oui, toujours. Jusqu'au bout. Jusqu'à ce dernier été.

Arrivé au journalisme par amour du cinéma, pour pouvoir écrire sur le cinéma, j'ai pensé, un moment, basculer de l'autre côté, devenir cinéaste. Pour me faire la main, j'ai d'abord tourné un film en vidéo, bricolé avec mon ami Yves et une bande de copains. L'histoire d'un critique de films qui en a marre de voir des films aux intrigues en béton. Qui rêve d'un film où il ne se passerait rien. Et qui s'appellerait *Relâche.* Une histoire d'amour, aussi, sur fond de zen, de balade en Bretagne. Et de Bob Dylan. Avec ce film sous le bras, je suis allé voir l'Institut national de l'audiovisuel. Qui, à l'époque, produisait des documentaires dits « de création ». Sans doute suis-je bien tombé : on a immédiatement accepté mon projet, mis en tournage trois semaines plus tard. Mon idée, c'était de filmer maniaquement, obsessionnellement, une rue minuscule du 19e arrondissement, le passage de Flandre. Ce qui m'intéressait, ce n'était pas la vie de cette rue, ses habitants, ses commerces. Mais ce qu'elle me disait sur le travail du temps, les traces du temps que je pouvais y lire, les traces de la mémoire. C'est un passage, rien qu'un passage, on n'y vit pas, on ne s'y installe pas. C'est une rue sans rien de spécial, ni belle, ni pittoresque, ni rien. Une rue banale, dans un quartier déshérité, défiguré, balafré par les restes de ce que fut sa vie, jadis, ruines d'entrepôts, de hangars, usines désaffectées. Une rue de rien du tout, avec, à l'un de ses bouts, deux hôtels pour travailleurs immigrés, qui louent des chambres au mois. D'un côté, elle donne sur une rue livrée aux voitures, aux camions. De l'autre, sur le bassin de la Villette, bordé de hangars vides, de quais déserts, où s'amarrent les péniches. Je voulais montrer qu'un lieu aussi banal, aussi déshérité, méritait d'être filmé, longuement, patiemment. Et qu'en m'attardant dans ce passage, en fixant la caméra sur les murs, les planches en bois usées, délavées, les graffitis gravés dans le torchis, les clous, les vieux fils de fer, les fissures, les taches de peinture, la rouille, j'arriverais à capter son histoire, sa mémoire. Je voulais filmer le passage des jours, le passage du jour à la nuit, de la nuit au jour. Je voulais filmer les chambres des travailleurs immigrés, nues, dépouillées. Je voulais filmer l'eau, le passage des péniches, les nuages dans l'eau. La pesanteur du temps, ce qui fait que le temps s'écoule ici, qu'il laisse sa trace. Un film sur la vie et sur la mort. Sur le passage de la vie. Sur la lente dégradation des choses. Sur les souvenirs de la vie, inscrits dans la chair des murs.

Mais je ne savais pas que mon film allait à son tour être victime du temps. Je ne savais pas qu'un responsable, quelque part, comme cela arrive si souvent, déciderait de le garder dans un tiroir. Je ne savais pas qu'il y resterait pendant plusieurs années. Avant, enfin, d'avoir une vie à la télévision. Une vie si brève, si courte : un soir, très tard. Une seule fois. Et puis voilà. Je ne savais pas, non plus, que je filmais un monde en sursis, en voie de disparition. Aujourd'hui, il n'existe presque plus rien de ce que j'ai filmé. Presque plus rien ne subsiste. J'ai filmé un monde fantôme. Un monde retourné à la poussière. Tout a été détruit, balayé, rénové, reconstruit. J'ai filmé l'invisible.

Et puis voilà. Le responsable qui a enfermé mon film dans un tiroir a tué mon envie de cinéma. C'était comme s'il me disait que mon film n'avait pas le droit d'exister. Qu'il resterait à jamais invisible. Alors j'ai quitté le cinéma. Je suis resté journaliste. Mais c'était peut-être mon envie de cinéma qui n'était pas assez forte. Qui n'a pas pu résister à cet accroc, à ce coup du hasard. C'est trop facile, me dis-je aujourd'hui, d'incriminer quelqu'un d'autre. Alors que c'est moi qui suis en cause. Qui n'ai pas su faire vivre mon amour du cinéma. Je ne sais pas ce qui se serait passé, si mon envie de cinéma avait été plus forte, si elle avait triomphé de cet accroc. Peut-être aurais-je vécu une autre vie. Peut-être suis-je passé à côté d'une autre vie. Mon film dort dans un placard, sous la poussière. Sur la pellicule sont gravées des images de ce qui fut et qui n'existe plus. Et cette autre vie, peut-être. Je peux rêver à ce qu'elle aurait pu être, imaginer une autre histoire, un autre destin. Mais ça ne m'intéresse pas. On ne rejoue pas sa vie. On écoute ce qu'elle nous dit. Cette vie-là, pas une autre.

Ma vie, la vie que j'ai vécue, je l'aime. Je crois que j'ai eu beaucoup de chance, qu'il m'a été beaucoup donné. J'ai eu une vie que je n'aurais jamais imaginée, enfant, adolescent. Je suis certainement passé à côté de beaucoup de choses, j'ai certainement pris de mauvaises décisions. J'aurais pu faire ceci ou cela, refuser telle proposition, aller plutôt dans telle direction. Mais je mesure ma chance. J'ai rencontré Anne, je me souviens comme si c'était hier de notre première nuit d'amour, de notre stupéfaction, au matin, de nous être trouvés, de nous savoir si proches. Anne et son courage, Anne et sa générosité. Elle est mes yeux dans la nuit. Ma boussole quand je me perds. Elle me donne confiance et courage. Elle a changé ma vie. Elle est la vie. Nous avons eu trois enfants et je suis sûr, intimement, que c'est le plus beau cadeau qui m'ait été offert par la vie. J'ai assisté à leur naissance, pour chacun d'entre eux, et c'est une expérience qui m'a transformé, métamorphosé. Thomas, Cécile et Marie. Ils sont grands, comme on dit, aujourd'hui. Ils se sont fait, eux aussi, des milliards de souvenirs. Ils ont des blessures, des cicatrices. Ils affrontent le mystère de leur propre vie. Ils me font rire, me passionnent, m'épatent, m'obligent à bouger, à avancer. J'ai aimé me sentir père, pour chacun d'entre eux, j'ai été transporté par cette idée, être père, vivre comme un père, donner à mes enfants tout l'amour d'un père. Il m'a manqué, à moi, cet amour-là. Ou je n'ai pas su le voir. Ou il était trop tard. Et je n'ai pas su donner de l'amour à mon propre père. Et je mesure la souffrance qui a été celle de mon père, d'être privé de cet amour-là. De n'avoir pu le donner ni le recevoir. Je ne sais pas si je sais les aimer comme il faut, mes enfants. Si je sais les écouter, leur parler comme il faut. J'essaie de leur donner ce que je n'ai pas eu. J'essaie d'inventer les mots, les gestes que je n'ai pas connus. A tâtons, à l'aveugle. Tout ce que je sais, c'est qu'ils sont mon plus grand bonheur. Être père est le plus beau miracle de ma vie.

Je sais ce que je dois à ma famille. Je suis l'enfant de toutes ces vieilles choses, dans la maison de ma grand-mère, à Meillac, ou dans la ferme de ma tante, à Combourg, les armoires, les horloges, les buffets, les vieilles photos en noir et blanc, les obus et les balles de mitrailleuse ramenés de Mortain, de la guerre, sur le buffet, à la maison, astiqués par ma mère, le clairon de mon père prenant la poussière dans le grenier, à Trans. Je viens de cette histoire-là, de toutes ces histoires-là, les deuils et les souffrances, et le répit de ceux qui survivent, leur ardent désir de vivre. J'ai ce sentiment, depuis mon plus jeune âge, d'être dans une famille à part, une famille spéciale. Tous les enfants s'inventent une légende personnelle, ils seraient des enfants trouvés, ils seraient des princes ou des princesses, ils auraient un secret connu d'eux seuls. Moi aussi, bien sûr. Mais la racine de tout, c'est l'aventure collective de ma famille, c'est la légende familiale, c'est la certitude d'être une famille différente. Qui cultivait sa différence, à Trans, qui y tenait, au risque de paraître prétentieuse, cette famille qui n'avait pas grand-chose, qui n'était pas grand-chose. L'énergie des survivants, peut-être. C'est ce que je me dis, quand j'essaie de comprendre. La mort, dans les deux familles, celle de mon père et celle de ma mère, deux familles marquées par la mort. Et notre famille à nous manquant d'être anéantie à Mortain, en août 44, après le débarquement. En avoir réchappé, avoir échappé à la mort, c'est peut-être cela l'aiguillon qui pousse mes parents, qui nous pousse. Oui, je sais tout ce que je dois à ma famille. Mais il ne faut pas se laisser dévorer par les vieilles choses sur les buffets, les photos et les obus, par les vieilles histoires sans cesse racontées, encore et encore ressassées. Ma chance a été de partir, de vivre cinq ans à l'étranger, puis de m'installer à Paris, de devenir parisien. J'ai, comme un trésor en moi, le royaume de l'enfance, la chaleur de la tribu, la maison à Trans, le jardin de ma grand-mère, à Meillac, la ferme de ma tante, à Combourg. Mais il faut partir, s'échapper, vivre seul. Trouver sa liberté sans trahir les vieilles choses.

On aimerait être léger, bouger à sa guise, voyageur détaché de sa propre histoire. Mais on trimballe de si lourds bagages, on a de si gros souliers aux pieds… Et nos manteaux nous pèsent, et nos poches sont pleines de babioles, de breloques, qu'on ne se souvenait pas avoir emportées. Ouvre tes valises, voyageur, vide tes poches. Garde ce qui te parle, jette ce qui t'entrave. Ce serait si simple, si on savait à coup sûr comment faire. Si on savait ce qui compte et ce qui est inutile…

A Rome, quand j'étais étudiant à l'université Grégorienne, quand je vivais au Collegio di Santa Croce, il y avait un endroit où j'aimais me réfugier. Piazzia Venezia, en plein centre de la ville, dans le vacarme des voitures, des bus et des scooters, je poussais une petite porte et je me retrouvais dans une chapelle. C'était sombre et silencieux, je m'asseyais sur un banc et j'attendais que tout se défasse. Tous les nœuds, toutes les attaches. Je laissais s'éteindre mon vacarme intérieur. Je posais mes bagages. Je restais longtemps, assis sur le banc. Je ne sais pas si c'était de la prière. Je ne sais pas trop ce qui se passait au fond de moi. Sinon que j'avais l'impression, peu à peu, de me trouver en m'abandonnant. En desserrant l'étreinte de mes pensées, de mes angoisses, de mes désirs. J'étais là, sans rien dire, sans rien vouloir, sur un banc de la chapelle, Piazzia Venezia. Après, quand je repartais, quand je reprenais mes bagages, je me sentais plus léger. Je ne savais pas ce que j'avais laissé là, dans la chapelle, ce que j'avais abandonné, mais j'étais plus léger. Je ressortais dans le soleil et le bruit. J'aurais pu danser, au milieu des voitures. J'aurais pu m'envoler.

Mais on ne trie pas ses souvenirs comme on trie ses papiers. On ne fait pas le ménage dans son passé comme on fait le ménage dans son grenier. Et c'est déjà tellement compliqué, tellement difficile, de jeter des papiers, des objets, de choisir ce qu'on va jeter et ce qu'on va garder. Un jour, on se dit que ça ne peut plus durer, qu'on ne peut pas se laisser envahir par tous ces vieux cahiers, ces vieux dossiers, que ça n'a pas de sens, qu'on va finir enseveli sous des tonnes de papier. Alors on ouvre les tiroirs, les placards, on sort un grand sac-poubelle et on commence à trier, à jeter. Au début, ça se passe assez bien, on est plein d'ardeur, de détermination, on déchire, on classe, on a le sentiment de devenir quelqu'un de neuf, quelqu'un de responsable. Et puis on tombe sur une lettre, qu'on n'avait pas relue depuis des années. Sur de vieilles photos. On tombe sur un dossier rempli de coupures de presse, de notes griffonnées sur le dos d'une enveloppe. On s'étonne d'avoir gardé tout ce fatras, puis on lit, on relit et on se retrouve transporté des années en arrière, on est submergé d'images, d'émotions. Non, décidément, on ne peut pas jeter. Alors on garde. En attendant. Ce qui n'empêche pas d'avancer, laborieusement, de remplir, plus ou moins vite, le sac-poubelle. Avec les souvenirs, on ne sait pas comment faire. On ne peut ni trier ni jeter. Ce sont eux qui décident. Ils s'invitent, s'imposent, s'en vont, reviennent, transpercent le cœur ou font pleurer de bonheur.

Tout à l'heure, j'ai entendu crier des corbeaux. Je les ai vus, par la fenêtre, tourner dans le ciel, autour d'un arbre. Et c'est le pays de Galles qui m'est revenu d'un seul coup, là où habite, depuis plus de trente ans, ma sœur Marie-Annick. Depuis son mariage avec Dafydd. Ils ont une petite maison à Bethesda, au pied du Snowdon, entre montagne et mer. Sur les collines en face de Bethesda, vers Tregarth, au-dessus des carrières d'ardoise, près de la chapelle et du petit cimetière, se dressent de hauts chênes, immenses, qui se détachent sur la lande, fantomatiques, solitaires, on se croirait dans *Les Hauts de Hurlevent.* Et autour de ces chênes, comme une ronde sans fin, des centaines, des milliers de gros corbeaux noirs s'envolent, tournent et montent dans le ciel gris, se pourchassent en criant, se posent sur les branches, provoquant l'envol d'autres corbeaux et ainsi de suite, dans un grand bruit d'ailes, dans un vacarme de cris mélancoliques à donner le cafard, grands oiseaux noirs obscurcissant le ciel, rôdant sur Tregarth, sur la lande de Tregarth, au-dessus des carrières d'ardoise. C'est la solitude et la nostalgie, là-haut, sous les grands chênes, on est perdu au bout du monde et pourtant la mer est toute proche, derrière les collines, à Bangor, vers Anglesey. Et le Snowdon, de l'autre côté de la vallée, est comme le refuge de toute la beauté du monde.

J'y suis allé plusieurs fois, à Bethesda, chez ma sœur Marie-Annick, et les souvenirs sont des éclairs de feu. D'abord avec mon frère Jacques et ma sœur Agnès, peu de temps après le mariage de Marie-Annick, longues promenades à pied, dans les collines de Tregarth, l'exaltation des ciels gris, du vent, de la solitude, l'odeur si forte de l'ardoise et du charbon, toute une mythologie, tout un imaginaire, autour de ces villages perdus, de ces chapelles et de ces cimetières, des réminiscences de lectures, de films, on avalait à grandes goulées le vent des rêves démesurés qui rendent ivres de vivre.

J'y suis retourné, plus tard, avec Agnès. Elle s'enfonçait de plus en plus dans sa maladie, mais elle avait encore le courage, la force de travailler. Elle avait obtenu un poste d'assistante de français dans une école de Portmadoc, au sud de Bethesda, au bord de la mer. Mais au moment de partir elle s'est découragée, elle disait qu'elle ne pourrait jamais aller jusqu'au pays de Galles, que c'était au-dessus de ses forces. Alors ma mère m'a demandé de l'accompagner, de partir avec elle pour qu'elle ne baisse pas les bras, qu'elle ne se laisse pas submerger par le désespoir. Nous sommes partis tous les deux en 2 CV, nous avons traversé l'Angleterre et le pays de Galles, jusqu'à Bethesda, chez Marie-Annick, puis jusqu'à Portmadoc, dans son école. J'étais heureux de faire ce voyage avec Agnès, de passer tout ce temps à discuter avec elle dans la 2 CV, de retrouver Marie-Annick, Bethesda, le pays de Galles. Et en même temps je voyais qu'elle se perdait, qu'elle perdait pied, qu'elle était ravagée d'angoisse à l'idée de s'installer à Portmadoc, qu'elle pensait qu'elle n'y arriverait jamais. Je suis resté plusieurs jours, entre Bethesda et Portmadoc, entre Marie-Annick et Agnès, me forçant à croire qu'Agnès y arriverait, qu'elle tiendrait le coup, que ça lui ferait du bien de se lancer dans cette aventure, que ça l'aiderait à s'affirmer, à se libérer. Mais j'avais tellement peur, quand je suis rentré en France, j'avais tellement peur qu'elle tombe, qu'elle s'effondre, qu'elle s'enfonce dans sa nuit. Quelque temps plus tard, Agnès revenait à Trans. Elle n'avait pas pu. Jamais elle n'arrivera à reprendre pied. Et je lis ces lettres qui me parlent d'elle, ses amies qui m'écrivent, qui me parlent de sa passion, de sa générosité, je les lis en pensant à ce voyage vers Portmadoc, au pays de Galles, quand je voulais y croire.

C'est avec Anne que je suis retourné à Bethesda, chez Marie-Annick, le lendemain de notre mariage. Je voulais tout lui montrer, la petite maison de Marie-Annick, son jardin, les carrières d'ardoise, les collines de Tregarth, la chapelle et le cimetière, les immenses chênes et les milliers de corbeaux noirs, les lacs dans la montagne, au cœur du Snowdon, la mer à Anglesey. Je voulais qu'elle connaisse Marie-Annick, qu'elle discute avec elle, qu'elle partage avec moi les grands rêves de la montagne galloise, qu'on soit heureux ensemble à Bethesda, tête au vent sur les sentiers gorgés d'odeurs, je voulais que le pays de Galles fasse partie de notre histoire commune. De toute façon, je lui en avais tellement parlé qu'elle y était déjà chez elle, c'est ainsi quand on aime, je crois. Nous y sommes retournés, des années plus tard, avec nos trois enfants, pour qu'eux aussi entrent dans cette histoire. Nous avons marché ensemble dans la montagne, affrontant la pluie et le brouillard, nous nous sommes promenés au bord de la mer à Anglesey, ils ont découvert la carrière d'ardoise, le chemin de fer désaffecté dans le Snowdon, du temps de la mine, les lacs surgissant de nulle part, le silence de la montagne. Ils se sont fait ces souvenirs-là.

Et puis j'ai cette photo, collée dans un album, ma sœur Agnès et ma mère au pays de Galles, sous un ciel gris, ce doit être près de Tregarth. Elles rient, elles ont l'air heureuses. C'est la première fois que ma mère vient au pays de Galles. Elle vient voir sa fille Marie-Annick, elle vient voir où elle habite, où elle vit. Ce sera aussi la dernière fois. Dans quelques mois, on découvrira son cancer. Dans quelques mois, elle sera morte. Sur son lit de mort, ses derniers mots seront pour Agnès. Elles ont l'air si heureuses, toutes les deux, sous le ciel gris du pays de Galles, elles sont si proches. J'aime regarder leur sourire, à toutes les deux, sur cette photo sans doute prise par Marie-Annick. J'ai envie de croire à leur bonheur, en cet instant volé à la nuit, à la mort. Elles ont droit au bonheur. Tout le monde a droit au bonheur.

Qu'est-ce qu'on est censé faire, avec tous nos souvenirs ? Qu'est-ce qu'on est censé comprendre, de cette vie qui se raconte dans le désordre, qui afflue par à-coups, brutalement, avec une intensité qui brûle et désempare ? Parfois c'est trop fort, on suffoque, on perd pied, on ne sait plus ce qu'on vit. Une odeur, une simple odeur peut tout faire basculer. Une odeur qui annule le temps, qui efface les années, qui ramène à on ne sait quand, on ne sait où, jusqu'à ce qu'un visage, un paysage apparaisse, brièvement, fugitivement, imprimant le souvenir du souvenir. Oui, c'était ce jour-là, j'avais cet âge-là, mais pourquoi avais-je oublié, pourquoi tout cela me revient-il ? Un parfum d'herbes, une odeur de labour, de foin coupé, de feuilles qui brûlent, on est happé, tiré par la manche, on s'absente, on n'est plus là pour personne, on est convoqué par celui qu'on fut, ailleurs, en d'autres temps. C'est une rencontre avec celui qu'on a été, c'est un accès par effraction à notre être intime, à celui qu'on a oublié parce que la vie nous bouscule, nous égare, nous fait nous fuir nous-mêmes. Il y a tellement d'occasions de se perdre. Il y a tellement de raisons de se fermer la porte à soi-même. On prend des habitudes, on se crée un personnage. On est lâche, paresseux, on sauve sa peau. On se dit qu'on sauve sa peau. Qu'on n'a pas le choix. De toute façon, on n'y peut rien. C'est comme ça. C'est la vie. De toute façon, c'est trop tard. On a changé. Et on ne peut plus changer. Et puis voici que quelqu'un vous tire par la manche. C'est vous. Celui que vous étiez, que vous êtes resté, sous le masque.

Et puis parfois c'est une chanson, une simple chanson. On écoute la radio, la nuit, sur l'autoroute. On entend cette chanson, cette vieille chanson qu'on avait oubliée. Ou bien on ne l'avait pas oubliée mais ça faisait tellement longtemps qu'on ne l'avait pas entendue. Elle amène avec elle tout un flot de souvenirs, d'émotions, de sensations. Si ça se trouve les paroles sont idiotes. Et la musique un peu niaise. Ça n'a pas tellement d'importance. Il y a simplement que sur l'autoroute, cette nuit-là, on entend cette chanson-là. On ne sait pas ce qui se passe, on ne comprend pas ce qui nous arrive, mais on est submergé, terrassé. On rejoint sa propre histoire. On se retrouve sur la bonne fréquence. C'est tout un univers qui entre, douleur, souffrance et bonheur. On n'arrive pas à démêler, c'est un bloc d'émotion qui récapitule la vie. On tremble, on frissonne, on a envie de pleurer, on a envie d'embrasser, d'être embrassé. Les mots de la chanson parlent d'amour, de rencontre ou de séparation, ils disent bêtement, simplement, qu'il pleut ou qu'il fait nuit, que c'est l'automne ou qu'un ami est mort, que le train s'en va ou qu'on se reverra. Ces mots et cette musique sont comme des aimants qui accrochent tout ce qui est en nous, épars et diffus, tout ce qui vient de si loin, de l'enfance, tout ce qui nous fait vivre et aimer, tous les fantômes qui nous habitent et qu'on entend, cette nuit-là, sur l'autoroute, si distinctement nous murmurer à l'oreille les paroles de consolation qu'on attendait, qu'on se désespérait d'entendre. Il faut juste dire oui. Ouvrir la porte à l'étranger qui vient nous consoler.

Parce que, de toute façon, le temps nous tue. Le temps aura notre peau. C'est une idée avec laquelle on joue, quand on est jeune. Le lent, l'inexorable passage du temps. J'adorais cette idée, quand j'étais plus jeune. J'étais fasciné par les longs feuilletons, à la télévision, racontant l'histoire d'une famille, sur plusieurs générations, le siècle traversé d'un bout à l'autre, le héros fringant et conquérant du début devenant un vieillard cloué dans son fauteuil, amer, revenu de tout, voyant arriver avec envie, avec jalousie, un nouveau héros, tout aussi fringant, tout aussi conquérant. Et entre les deux la ronde des générations, les acteurs qu'on voit vieillir d'épisode en épisode. J'aimais ces longues sagas qui voyaient les histoires de famille épouser la grande Histoire, qui donnaient la mesure du temps, de l'écoulement du temps. On peut se payer ce luxe, quand on est jeune, on peut jouer avec le temps et avec la mort, on y trouve une certaine délectation. Et puis on voit vieillir ceux qu'on aime. On voit le changement sur eux, d'année en année. Pas ceux avec qui on vit tous les jours. Mais ceux qu'on voit de temps en temps, plus ou moins régulièrement. Soudain, on est saisi par une évidence : ils deviennent vieux. Eux aussi, ils deviennent vieux. On s'était convaincu que ça ne leur arriverait pas, pas à eux. Les autres, ceux qu'on ne connaît pas, oui. Mais pas eux, pas ces amis, ces proches, qui font partie de notre vie depuis si longtemps. Ils n'ont pas le droit de vieillir, d'être malades, fatigués. Ils n'ont pas le droit de nous montrer qu'ils s'en vont vers la mort. S'ils vieillissent, c'est que tout le monde vieillit, c'est que tout le monde meurt. L'inexorable marche du temps, ce n'est plus seulement un beau thème de feuilleton, qui nous fascine quand on est jeune, quand on a le temps devant soi. C'est la réalité. Voilà, le temps s'est écoulé. Le temps réel. Toutes ces années qui ne reviendront pas. Et le temps qui reste est tellement court. Le temps qui leur reste, à eux. Je voudrais les rattraper par la main, les tirer en arrière, les sauver, les arracher à ce qui les attend. Ils n'ont pas le droit de vieillir. Pas eux. Ils ont trop de choses à vivre, trop de personnes à aimer. La vie ne peut pas leur faire ça. C'est impossible. Je les regarde et je souffre pour eux, j'ai peur pour eux. Restez comme vous êtes, je vous en supplie, arrêtez le temps, arrêtez tout.

Mais je sais bien que je ne pense pas seulement à eux. A leur vieillissement, à leur mort. Je pense à moi. J'ai peur pour moi. Je lis sur leur visage, sur leur corps, ce qui m'attend. Je suis naïf : je ne me vois pas comme quelqu'un qui vieillit. Je sais que les années passent, je sais que le temps qui me reste à moi est de plus en plus court. Mais je n'ai pas, physiquement, la sensation de vieillir. Je me demande quand ça m'arrivera. Quand le regard des autres me dira que je deviens vieux. Quand je saurai, dans ma tête, dans mon corps, que je suis vieux. Mon père est mort à cinquante-trois ans, ma mère à soixante ans. Je ne les ai pas vus vieillir. Je les ai vus souffrir. Puis mourir. C'est sans doute pourquoi je suis stupéfait de voir vieillir mes amis, mes proches. Je vois le travail de la mort, à travers le lent travail du temps. C'est une réalité avec laquelle il faut vivre. Mais je n'ai pas vu mes parents vieillir. Ils sont morts. Et puis plus rien. Je devrais pouvoir accepter que les autres vieillissent. Que moi aussi je deviendrai vieux. On appelle ça la sagesse. On a écrit des livres et des livres pour enseigner la sagesse. Accepter ce qui nous arrive. Et ce qui nous arrive, c'est qu'on vieillit et qu'on meurt. Je hais la sagesse. Je hais la mort.

Et je maudis le miroir que me tend la télévision, depuis le temps que je la regarde : tout le monde vieillit, tout le monde va vers la mort. Car la télévision ne se contente pas de mimer la vieillesse, de mimer la dégradation physique sur des acteurs de feuilletons à qui on colle des rides, à qui on teint les cheveux en blanc. La télévision est une machine à voir vieillir les gens, les vrais. A commencer par ceux qui font la télé, journalistes, animateurs, amuseurs. La télé est cette invention qui enregistre le travail du temps sur des années et des années. On appelle ça les archives. Et ce qu'elle adore faire, la télé, c'est un montage d'archives. Pour rappeler, résumer, la carrière de quelqu'un. Raconter une tranche d'histoire. En quelques minutes, dans ce condensé d'une vie qu'est un montage d'archives, on les voit vieillir, les journalistes, les animateurs, les amuseurs. On voit apparaître les rides, les vraies. Les cheveux blancs, les vrais. On entend le changement dans la voix. Le tremblement, les hésitations. C'est le raffinement dans la cruauté. Une vie en accéléré. Réduite à ça, aux signes extérieurs de vieillesse. Et le pire, c'est qu'on se voit vieillir en même temps. Parce qu'on a été le téléspectateur des années de maturité du journaliste, de l'animateur, de l'amuseur. C'est une démonstration irréfutable. Il a vieilli. J'ai vieilli. Et je n'ose pas calculer le temps que j'ai passé devant la télé, puisque c'était mon métier. Regarder la télé pour la critiquer, pour en rendre compte. Tout ce temps, toutes ces années, plus de vingt ans. Toutes ces années de ma vie à regarder les gens vieillir. La télévision mange la vie.

Mais le pire, c'est autre chose. C'est de voir comment, au fil des ans, dans toutes ces émissions que j'ai vues proliférer, psy-shows, talk-shows, reality-shows, télé-réalité, la télé s'est mise à dévorer nos vies, à s'en repaître. Ce qui est insupportable, c'est de voir comment la télé se nourrit de nos vies, comment elle nous cannibalise, pour nous offrir en pâture l'illusion de la vie. Elle suce nos vies, elle nous vampirise pour fabriquer une imposture qu'elle nous vend comme de la vie. La vie est un produit, la vie est une marchandise que la télé achète, trafique, et nous revend sans vergogne. La vie des gens, leur vraie vie, leurs peurs, leurs désirs, leurs sentiments, est manipulée, trafiquée, truquée pour faire marcher la machine télé.

La vie est un carburant pour faire tourner la machine. Nos sentiments, nos émotions, nos rires et nos larmes sont injectés dans la machine pour fabriquer ce qu'elle sait faire, ce pour quoi elle est faite : du spectacle. La machine est insatiable. La machine a faim. Elle pille nos vies. Elle commande nos vies. Elle met en scène les rires et les larmes, les émotions, les sentiments. Pour mieux nous vendre sa camelote, qu'elle appelle la vie. Qu'elle fait passer pour la vie.

Et nous acceptons. Nous acquiesçons. Il y a d'innombrables candidats pour vendre leur vie à la machine. Pour se vendre corps et âme à la machine. Pour accepter que leur corps et leur âme servent à faire marcher la machine. Et nous sommes encore plus nombreux à nous rendre complices de ce vol, de ce rapt. Nous sommes des millions de téléspectateurs à nous repaître de la marchandisation de la vie. A accepter d'y voir la vie. La vraie. Notre vie. Nous bradons notre vie, nous nous en dépossédons. Et cette dépossession est sans doute ce qui nous est arrivé de pire. Cet acquiescement à la dépossession de nos vies. Tout peut être vendu, tout peut être bradé. L'intime de l'intime est à vendre. Pour servir à faire tourner la machine. Et nous abaisser un peu plus. Nous acquiesçons à notre abaissement. A notre humiliation. La télévision pille nos vies, dévore nos vies comme un chacal une charogne. Elle tue la vie. Elle fait de nous des cadavres. Mais nous ne le savons pas, nous ne voulons pas le savoir. Ce qu'elle tue, c'est notre âme. Qui se soucie de nos âmes ?

Allez, ce n'est pas grave. Ce n'est qu'un jeu. Ce n'est que de la télé. Ce sont des cris et des larmes pour la télé. Ce n'est pas grave, disent-ils.

J'aime trop la vie. Je refuse ce rapt, cette dépossession. Je veux sauver ma vie.

Voilà ce que j'ai appris, enfant : la vie par-dessus tout. J'ai appris le respect de la vie, de toute vie. Et puis l'amour de la vie, un amour sensuel, charnel, aussi bien que spirituel. L'appel à la pénitence, à la mortification, au sacrifice, toutes ces morbides exhortations qui nous venaient de l'Église, du catéchisme, très peu pour nous. La vie est sacrée. On l'aime plus que tout. La sienne et celle des autres. Et s'il faut parler de sacrifice, c'est pour les autres : se priver pour donner aux autres. Pas pour satisfaire aux caprices d'un Dieu vengeur. Valeur très chrétienne, celle-là : la charité. Penser aux autres. Les plus pauvres, les plus démunis. Le refus du mensonge, aussi, de la tricherie. Le devoir d'honnêteté. Il faut pouvoir se regarder dans la glace. Et puis, venue de ma mère, la fierté. Ne pas avoir honte de ce qu'on est. Marcher crânement, tête haute. Et tant pis pour ce que disent les autres, les racontars, les rumeurs. L'idée, enfin, qu'on s'en sort par la culture. Par la lecture, les études. Parce que c'est bien de cela qu'il est question : s'en sortir, ne pas subir, ne pas se soumettre à la fatalité. En résumé, beaucoup de devoirs. Parce qu'il faut se respecter et respecter les autres. Et un droit inaliénable : le droit au bonheur. Dans ce monde comme dans l'autre.

Il y a, enfin, pour en rester à l'enfance, à l'adolescence, ce que j'ai appris avec les Aiglons, à la montagne. J'ai passé toute mon enfance près de la mer, au-dessus de la baie du Mont-Saint-Michel. Loin, très loin de la montagne. Sauf l'été. Ma mère m'avait inscrit, avec mon frère Jacques, aux Aiglons, une troupe de Saint-Malo, un peu sur le modèle des scouts. Chaque été, avec les Aiglons, on partait faire un camp dans la montagne, les Alpes ou les Pyrénées. Il y avait aux Aiglons toute une mystique de l'effort, de l'endurance, doublée d'une mystique des sommets, des cimes. Là-haut, tout était plus pur, plus fort, plus exigeant. Les gens ordinaires étaient en bas, dans la vallée, dans la poussière et le bruit des villes. Nous, nous étions visités par l'esprit, là-haut, près du ciel, dans ce grand silence qui était, nous disait-on, « la patrie des forts ». Il fallait peiner, souffrir, pour accéder à ce royaume interdit aux faibles, aux mous. L'ivresse des sommets était la récompense réservée aux adeptes du dépassement, de la conquête. J'y croyais, avec toute la ferveur de l'enfance, l'intransigeance de l'adolescence. J'aimais ce discours qui nous galvanisait, nous transcendait. Toujours plus haut, toujours plus près de l'essentiel, du grand mystère du monde.

Mais une part de moi-même, pourtant, regimbait. Pourquoi, me disais-je, fallait-il à ce point se faire mal ? Pourquoi fallait-il nier qu'on avait mal ? Parce qu'il n'était pas question de se plaindre, de demander une pause. Sinon c'était un aveu de faiblesse, une lâche capitulation. Serrer les dents, marcher, tenir, encore mieux que les autres, faire partie de l'élite de ceux qui ne se plaignent pas, qui sourient pour masquer la souffrance. Je voulais bien jouer le jeu (ça permettait, en plus, de se faire bien voir du chef des Aiglons), mais, dans le secret de mon cœur, je trouvais tout de même le prix à payer un peu trop élevé. Qu'est-ce qu'on voulait de nous ? Qu'on devienne des surhommes ? Je n'avais pas envie d'être un surhomme. Juste un homme. Surtout, cette course vers l'excellence me paraissait sans fin. Arrivé en haut d'un sommet, qu'est-ce qu'on voyait ? Un autre sommet. Et le sommet qu'on venait d'atteindre, au bord de l'épuisement, n'était en fait qu'une étape. Le vrai but de la journée, c'était cet autre sommet, là-bas, dans le lointain. Je n'avais qu'une crainte : c'était que ça ne s'arrête jamais. Que nos chefs décident de nous emmener plus loin, plus haut. Juste pour la beauté de l'effort.

Aujourd'hui, avec le recul, je me dis que je suis content, moi, l'enfant de la baie du Mont-Saint-Michel, d'avoir découvert la montagne. L'allégresse de la marche, le silence des sommets, les odeurs, le vent, les nuages. Et tout ce travail du corps, des muscles, de la respiration, qui fait qu'on a la sensation d'habiter le monde physiquement, sensuellement. Mais je me méfie de cette idéologie du dépassement, de cette mystique de la pureté. Non, nous ne sommes pas des surhommes. Nous sommes des hommes, rien que des hommes. Qui souffrons, qui peinons. Qui faisons de notre mieux pour tenir la tête hors de l'eau, pour résister à la pesanteur. Pour ne pas nous résigner. Pour vivre, tout simplement.

La vie, heureusement, a de l'humour. Elle nous fait des pieds de nez. Elle nous libère, nous allège du trop de sérieux. Aux Aiglons, on était répartis en équipes, comme les patrouilles des scouts. Chaque équipe avait son chef, son fanion. Et son nom, surtout. Comme on avait cette mystique des sommets, de l'ascension vers l'idéal, chaque équipe portait le nom d'un aviateur, Mermoz, Guynemer, Saint-Exupéry… Tous les matins, lors du rassemblement général autour du drapeau, chaque chef d'équipe lançait fièrement le cri de ralliement censé galvaniser ses troupes, une devise inspirée par l'aviateur totémique. Par exemple, le chef de l'équipe Mermoz lançait : « Mermoz à l'assaut des … » Et toute l'équipe, d'une seule voix : « … cimes ! » Pour l'équipe Guynemer, c'était : « Guynemer prend de la hau… » « …teur ! » Moi, pour mon tout premier camp, j'étais dans l'équipe Saint-Ex. Notre cri, c'était : « Saint-Ex défie le so… » « …leil ! » Eh bien, pendant des jours et des jours, j'ai cru que c'était : « Saint-Ex défile en so… » « …lex ! » Quand tous les autres saluaient le soleil, moi je rendais hommage au solex. Je trouvais ça un peu étrange, bien sûr, que Saint-Ex défile en solex. Mais je me disais : pourquoi pas ? J'avais onze ans. A la maison, on avait un solex. J'aimais beaucoup le solex. Alors, que Saint-Ex défile en solex, ça me le rendait plus proche, plus familier. En plus, Saint-Ex et solex, ça rimait.

Après, quand j'ai compris ma bévue, quand je me suis mis à crier, comme les autres, « Saint-Ex défie le so… » « …leil ! », j'ai regretté le solex. Le défi au soleil, c'était pompeux, grandiloquent. C'était surhomme. Défiler en solex, je trouvais ça plus humain. Plus vrai. Je me dis, aujourd'hui, que j'avais bien raison. Le solex est une philosophie de la vie. On est aidé par le moteur. Mais c'est un moteur modeste, tranquille. Qui vous permet de jouir du paysage, des odeurs, du temps qu'il fait. Et puis, dans les côtes, il faut aider le moteur, lui donner un coup de main. On ne peut pas entièrement se reposer sur lui. Il faut pédaler.

Tu peux pédaler comme un malade, si tu es pressé, inquiet ou débordant d'énergie, de courage. Tu peux aussi pédaler gentiment, tranquillement. Juste ce qu'il faut pour gravir la côte. C'est toi qui choisis. La vie en solex, c'est un défi comme je les aime. A hauteur d'homme.

Je range mes papiers. Je trie. Je classe. Qu'au moins ce temps me serve à cela, tout ce temps qui m'est soudain donné. Je tombe sur une masse de papiers, une grosse pile : tous les articles que j'ai écrits, depuis mes débuts dans le journalisme. Je ne sais pas pourquoi je les garde. J'aurais aussi bien pu les jeter. Mais je n'arrive pas à les jeter. C'est comme les lettres de lecteurs. Je les entasse dans de grandes boîtes en carton. Je me dis que je n'ai pas le droit de les jeter, toutes ces confidences qui me sont faites, toutes ces vies qui me sont racontées. Je les garde comme un trésor. Mes articles, c'est différent. C'est ma vie. J'ai l'impression que c'est ma vie. Trente ans de ma vie sont là, dans ces centaines de pages. Ma vie de journaliste, bien sûr. Mais je ne peux pas séparer ma vie de journaliste de ma vie tout court : mes articles sont irrigués par ma vie, ils sont imprégnés de mes rêves, de mes désirs, ils portent la trace de mes enthousiasmes et de mes découragements. Oui, c'est ma vie, dans tous ces articles, dans cette masse de papiers. De la critique de films, à mes tout débuts, jusqu'à mes chroniques sur la télévision. Je pense à tout le temps passé à noircir cette masse de papiers, dans la fièvre et la jubilation, dans le désespoir et l'à quoi bon. Une vie dans l'écriture de l'éphémère.

Et ce qui me frappe, en feuilletant tout ce fatras avant de le ranger, c'est à quel point ma vie de journaliste s'est nourrie de la vie des autres. J'ai fait des centaines d'interviews, de portraits, de reportages. D'innombrables fois, j'ai branché mon magnétophone et j'ai demandé à quelqu'un de me raconter sa vie. Mon travail aura consisté, pour une grande part, à poser à des gens des questions sur leur vie. C'est un métier qui autorise à pénétrer dans la vie des autres. Et j'ai là, dans cette pile d'articles, d'innombrables récits, d'innombrables confidences. Ce qui est étrange, c'est que la plupart du temps ces rencontres, pendant lesquelles ont été dites des choses si personnelles, seront sans lendemain. Il y a ce moment hors du temps, où l'un parle et l'autre écoute, et puis c'est fini. On va voir quelqu'un d'autre. On découvre une autre vie. Parfois, pourtant, il arrive que de ces rencontres naisse une amitié. Quelqu'un, soudain, comptera dans ma vie. Quelqu'un, après m'avoir raconté sa vie, jouera un rôle dans ma vie à moi.

M'aidera à vivre ma propre vie. Ces rencontres-là sont rares. J'en ai deux en mémoire, précieuses entre toutes.

Yves Montand, Simone Signoret. On ne sait pas comment ces choses-là se font. On ne comprend pas très bien ce qui se passe. Pourquoi on bascule au-delà d'une simple relation professionnelle, un journaliste qui tend son micro et qui pose une question. Réfléchissant aujourd'hui à ma vie, je sais ce que je leur dois, à l'un et à l'autre. Je ne l'écris pas pour capter à mon profit un peu de leur lumière, me pousser du coude pour être sur la photo. Encore moins pour jouer les paparazzi, balancer des révélations. Je l'écris parce qu'ils ont joué, dans ma vie, un rôle qui a à voir avec ma propre histoire. Avec ce qu'essaie d'explorer ce livre. J'ai rencontré Simone Signoret en juin 1976. Pour une interview, bien sûr. Une très longue interview : ses souvenirs, film après film, devaient être, dans *Télérama*, le grand feuilleton de l'été. Au téléphone, elle s'était d'abord montrée réticente, sans vraiment dire pourquoi. Finalement, elle avait accepté. Je devais la retrouver à la Colombe d'Or, à Saint-Paul-de-Vence, là où ils se sont rencontrés, Montand et elle, en 1949. Avant de s'y marier. Me voici donc, ce jour de juin, au petit matin, à la Colombe d'Or. Il fait un temps superbe. Signoret est au bord de la piscine. Après les banalités d'usage (oui, j'ai fait un bon voyage ; oui, il fait vraiment très beau), je branche mon magnétophone. Et je pose ma première question. Elle me regarde, reste silencieuse quelques longues secondes puis commence à répondre. Avant, brusquement, de s'interrompre. « Écoutez, me dit-elle, je suis désolée, mais ce n'est pas possible. Replonger dans mon passé… Je ne fais que ça depuis des semaines, des mois… Je commence tout juste à en sortir. Non, vraiment, ce n'est pas possible… » Quelque temps plus tard, je recevrai son livre, *La nostalgie n'est plus ce qu'elle était.* Avec cette dédicace : « A Alain Rémond, qui comprendra sûrement pourquoi j'étais muette il y a quelques mois. » Oui, j'ai compris. Ce jour-là, à Saint-Paul-de-Vence, Signoret venait tout juste de finir ce livre, son autobiographie. Elle y a passé des mois et des mois. Alors tout recommencer à zéro, raconter une nouvelle fois sa vie pour les beaux yeux d'un blanc-bec qui lui tend son micro… Au-dessus de ses forces. Ainsi se termine l'interview. La plus courte interview de ma carrière d'interviewer.

Mais Signoret se reprend : « Écoutez, vous n'allez tout de même pas retourner comme ça à Paris. Vous êtes venu jusqu'ici. Vous y restez… » Et j'y suis resté, pendant deux jours. Deux jours à parler avec Signoret. Non pas de sa vie à elle. Mais (je rougis de l'écrire) de la mienne. C'est Signoret qui m'y invite. Oui, comme ça, de but en blanc. Au fait, vous venez d'où ? C'est quoi, l'histoire de votre famille ? Et me voilà en train de tout raconter, la guerre à Mortain, l'enfance à Trans, la tribu familiale, la guerre entre mes parents, la mort de mon père, la mort de ma mère. Je ne sais pas très bien ce qui se passe, pourquoi je me retrouve, à Saint-Paul-de-Vence, en train de raconter ma vie à Simone Signoret. Mais ce n'est pas à l'actrice, à la star, que je parle. Elle fait oublier l'actrice, la star. Elle est une femme attentive, chaleureuse. Je n'ai même pas trente ans. Elle m'écoute, elle me parle comme une mère. Oui, c'est ce qu'elle me dit. Je la reverrai souvent, Signoret, après, jusqu'à sa mort. Et toujours elle me parlera comme une mère. Évoquant mon enfance, ma famille, tout ce que je lui ai raconté. Elle me parlera de ma mère comme si elle l'avait connue. Après la diffusion de mon film, à la télévision, un soir, tard, très tard, elle m'a téléphoné, longuement, pour m'en parler dans les moindres détails, comme si elle l'avait elle-même tourné. Elle avait tout vu, tout saisi. C'est comme si elle était dans ma tête. Comprenant pourquoi je m'étais attardé sur cette tache de rouille, ce nœud dans le bois de la palissade. Simone et le passage du temps. Simone et la mémoire...

Quelques mois après cette interview ratée, au bord de la piscine, à la Colombe d'Or, un éditeur m'appelle. Il a l'intention de publier un livre sur les films d'Yves Montand. Et me propose de l'écrire. « Comme vous connaissez Signoret, me dit-il, ce sera peut-être plus facile pour vous d'entrer en contact avec Montand... » Et me voilà, un beau jour, dans le salon de leur rez-de-chaussée, place Dauphine. Signoret prépare le café. Montand me demande de lui expliquer l'idée du livre. L'idée, c'est de lui faire commenter chacun de ses films, comment s'est passé le tournage et ce qu'il en pense, aujourd'hui. Bon, me dit-il, ça ne devrait pas prendre trop de temps, juste quelques semaines, d'accord, on y va. En réalité, on y passera des mois, plusieurs fois par semaine. De longues journées à bavarder, à discuter. Je viens pour Montand, bien sûr. Mais la plupart du temps Signoret est là. Elle est un peu étourdie par le succès de *La nostalgie n'est plus ce qu'elle était.* Et, mine de rien, elle suit pas à pas la progression du livre avec Montand. Jusqu'à ce jour, dans leur maison d'Autheuil, en Normandie, où j'apporte à Montand le manuscrit final. Montand, aussitôt, le donne à Signoret, qui monte à l'étage, s'enferme pour le lire. Quand elle redescend, je comprends, à son grand sourire, que j'ai l'imprimatur. Montand, lui, est rassuré : Simone est le juge suprême.

Entre-temps, avec Montand, une amitié s'est nouée. On parle de ses films, bien sûr, puisque c'est le contrat. Mais de tellement d'autres choses. La politique, ses engagements, ses coups de gueule, ses coups de sang, avec Simone, sur tous les fronts. On parle, aussi, de ce qu'il vit dans sa chair, son histoire personnelle. L'histoire de sa famille, de ce père antifasciste roué de coups par des sbires de Mussolini, envoyés par son oncle maternel, militant fasciste. L'exil en France. L'enfance à Marseille, à la Cabucelle. Le travail dès l'âge de onze ans. Emballeur dans une usine de pâtes alimentaires, livreur, coiffeur, manœuvre aux chantiers navals, docker. Son enfance, il y revient tout le temps. Sans jamais jouer sur le misérabilisme, le côté prolo. L'une des dernières fois où nous parlerons longuement ensemble, il me dira : « J'aimerais raconter mon enfance et mon adolescence à Marseille. Replonger dans mes racines, dans tout cet univers qui n'existe presque plus. Mais comment oser toucher une plume… » (Et moi, l'écoutant, je me dis qu'il faut à tout prix que j'arrive à écrire mon livre sur mon enfance, ce livre qui m'obsède, auquel je pense tous les jours. Oui, il le faut.) Il a pour son père un véritable culte, qui va jusqu'à l'identification. Je l'écoute et je me dis qu'il a eu, lui, cette chance : aimer son père, admirer son père. Il m'en parle souvent. Il me dit qu'il lui ressemble, physiquement. Un jour, me dit-il, vers la cinquantaine, je me suis regardé dans la glace et j'ai cru voir mon père. Tu n'imagines pas le choc que ça fait… Montand est obsédé par le passage du temps, le vieillissement. C'est chez lui une véritable angoisse, voir vieillir les autres et se voir vieillir. Il a une vision tragique de la vie, il répète souvent, comme pour se faire peur, que le cerveau, qui possède dix milliards de neurones, en perd cent mille par jour à partir de trente-cinq ans. Cent mille, tu te rends compte ?

Il parle de son enfance et de son père, mais il est déchiré. La déchirure est au cœur même de sa famille, au cœur de sa relation avec son père. Depuis qu'il a pris ses distances avec le communisme, depuis qu'il a condamné les partis communistes et les pays dits socialistes, depuis qu'il a tourné *L'Aveu*, il est brouillé avec son frère Julien, permanent CGT, resté communiste, qui l'accuse d'avoir trahi leur histoire. Et, surtout, d'avoir trahi leur père. Pour avoir parlé de lui comme d'un antifasciste « socialisant », il s'attire une sèche réplique de son frère, dans *Le Nouvel Observateur* : Notre père était communiste ! Je me souviens l'avoir vu, ce jour-là, près de la place Dauphine. Il marchait comme quelqu'un qui est perdu, désespéré, il portait des lunettes noires, pour qu'on ne voie pas ses larmes. Montand et son père, Montand et l'enfance, Montand et la famille… Je suis chez moi, avec lui et avec Signoret. Je me sens chez moi, dans mon monde à moi. J'aime l'énergie de Montand, ses rires, ses colères. J'aime le voir faire le clown, se moquer de lui-même, avec Bob Castella, son pianiste-secrétaire, place Dauphine. Il nous arrive de nous brouiller, parce que je n'aime pas son rôle de prophète, de grand imprécateur, à la télévision, à l'époque où la télévision et les sondages lui construisent un personnage de présidentiable, où lui-même commence à se demander s'il n'y croit pas. Mais toujours il rappelle, toujours il reprend contact. On s'aime, vraiment. Et je déteste l'image qu'on donne de lui, un grand couillon un peu naïf, grande gueule, qui n'a plus de boussole depuis la mort de Signoret. Je l'aime, moi, ce grand couillon. Il m'émeut. Il me fait rire. Il me fait réfléchir. Il me donne envie de bouger. Et je pense à son enfance, à son père. Je pense à ses blessures. A sa hantise du temps qui passe. Je pense à cette phrase de Scott Fitzgerald, qu'il me répète souvent : « On devrait pouvoir comprendre que les choses sont sans espoir et cependant être décidé à vouloir les changer. » J'aime cet homme, comme j'ai aimé Signoret. Et je sais bien, si je veux être tout à fait sincère, que je vois en lui comme un père de substitution, lui qui m'appelle « fils »…

Je ne veux pas faire de captation d'affection. Je

ne veux pas parler à la place de Montand, de Signoret. Je sais que Montand donnait du « fils » généreusement, à beaucoup de monde. Tout ce que je peux dire, quand je repense à ma vie, c'est combien ils m'ont été, l'un et l'autre, indispensables. C'est un miracle de les avoir connus, d'avoir vécu dans leur ombre. L'intelligence et la tendresse de Signoret, cette façon d'aller droit au but, droit au cœur, avec elle on allait tout de suite à l'essentiel, pas de fioritures, pas de faux-semblants, ses yeux verts plongés dans les miens, cette voix que j'entends encore aujourd'hui, si proche, cette voix qui parle en confidence. La formidable énergie de Montand, ce grand corps qui fut celui d'un ouvrier, d'un docker, ce corps qu'il habite totalement, italien jusqu'à la jubilation. Toujours à se juger, à se remettre en question, obsédé par le tragique de la vie et en même temps bousculé de l'intérieur, incapable de fermer sa grande gueule, parce qu'il n'a pas le droit de se taire. Cette chaleur, cette intimité immédiate, ces conversations au téléphone avec Anne ou les enfants, quand il cherchait à me joindre. Oui, je les ai aimés. Oui, ils ont été essentiels dans ma vie.

Je suis allé voir leur tombe, voilà juste quelques jours. Pourtant je n'aime pas les cimetières. Je hais les cimetières, je hais les tombes. Je n'étais allé au Père-Lachaise que le jour de leur enterrement, Simone d'abord, et puis Montand. Je me souviens qu'un ami de mon journal s'était moqué de moi parce que je pleurais en revenant de l'enterrement de Montand. Comment pouvais-je pleurer après la mort d'un grand couillon, me disait-il. Je n'avais pas su répondre. Il n'y avait rien à répondre. Et puis voilà qu'un de mes frères et sa femme, venus me voir à Paris, me disent qu'ils ont envie de visiter le Père-Lachaise. Alors nous y allons. Et moi je ne cherche qu'une seule tombe, la tombe de Montand et Signoret. Je me perds, je tourne en rond. Finalement, je la trouve. C'est une tombe qui ne veut pas se faire remarquer, rien qu'une pierre, les deux noms gravés sur la pierre, au milieu de tous ces monuments plus orgueilleux les uns que les autres, ce concours à qui aura le tombeau le plus extravagant, le plus vaniteux. Je suis content de voir cette simple pierre, presque anonyme. Comme la tombe de mes parents, à Trans. Et celle d'Agnès, ma sœur. Je suis devant la tombe de Montand et Signoret comme devant la tombe du petit cimetière de Trans. C'est ma famille.

Montand et Signoret... Voilà ce qui arrive, quand on a du temps et qu'on range ses papiers. Quand on pense à sa vie. Et qu'on reçoit toutes ces lettres qui sont remplies de questions sur la vie. Tout ce temps devant moi. Et toutes ces questions posées par ces lettres, qui me reviennent en boomerang. Tout ce que j'ai tenté de faire revivre dans mes deux livres, Trans, ma famille, mes parents, retentit en moi comme une réplique sismique. Je viens d'avoir cinquante-six ans. J'ai du temps, beaucoup de temps. Je laisse tout remonter, les souvenirs qui affluent, les questions sur ma vie. Je ne me demande pas si ma vie est réussie ou pas. Je ne sais pas ce que ça veut dire, une vie réussie. Comme s'il y avait une recette pour la réussir, comme on réussit une mayonnaise. Chacun vit sa vie. On bricole, on tâtonne. Un jour, on se dit qu'on est heureux. Vraiment, pleinement heureux. Un autre jour, on est terrassé par un sentiment d'échec, de gâchis. On ne sait pas où va la vie. Ce que sera le reste de sa vie. On a ce dossier en plastique bleu, le dossier des Assedic. On ne sait pas ce qui va se passer. On se dit qu'on est un chômeur. Et que ce n'est pas à proprement parler ce qu'on appelle une réussite. Mais j'aime ma vie. J'aime avoir vécu cette vie-là. Ça m'est complètement égal de savoir si elle est réussie ou pas, parce que je ne sais pas ce que ça veut dire. Je ne sais pas qui décide, selon quels critères, ce qu'est une vie réussie. C'est ma vie. C'est la mienne.

Mais c'est précisément cela que je n'arrive pas à démêler. L'écheveau de ma vie. En quoi je l'ai construite, décidée. Pouvoir dire : voilà, c'est ma vie. Alors que dans ma vie tant de choses se sont passées que je n'ai ni voulues ni souhaitées. Je ne sais pas où est ma liberté, dans cette vie qui est la mienne. Il y a trop de hasards. Et en même temps j'ai du mal à croire au hasard. Je crois aux signes. Rien de religieux, aucune intervention divine. J'ai mis assez de temps, j'ai eu assez de mal à me défaire de l'idée de vocation, d'un plan de Dieu sur moi, auquel je devais me conformer, pour voir dans le hasard une main divine, ce qu'on appelle la Providence. Juste des signes, des petits signes, que je suis seul à voir, qui donnent du sens à ma vie. Trop de liens se tissent, trop d'échos se répondent. Comme avec Montand et Signoret. Ce ne sont des signes que pour moi, je suis le seul à pouvoir les déchiffrer. Dans ce puzzle en vrac qu'est une vie, je vois des pièces qui s'accordent, mystérieusement. Qui dessinent une histoire, incomplète, obscure, difficile à comprendre. Et puis soudain une autre pièce, qu'on n'avait pas vue, s'emboîte miraculeusement. Et tout prend sens.

Comment voulez-vous que je croie au hasard après ce que je viens de découvrir à propos de J. D. Salinger ? La pièce manquante est là, sur ma table. Et, l'ayant découverte, je suis stupéfait. J'ai la tête qui tourne. Le puzzle s'emboîte trop bien. Quelque chose se passe que je ne maîtrise pas, qui me donne le vertige. Patience, je vais y venir. Patience. Mais parlons d'abord de Salinger. J'ai peur d'être une désolante banalité si je dis qu'il est, depuis mon adolescence, mon auteur de prédilection. Nous ne sommes, après tout, que quelques millions dans ce cas. A cause de *L'Attrape-Cœurs*, bien sûr. A cause de ce foutu Holden Caulfield et de sa sœur Phoebé, la vieille Phoebé, comme il l'appelle. Et de son frère D. B., brillant auteur de nouvelles qui « se prostitue » à Hollywood. Et de son frère Allie, le plus brillant, le plus intelligent, mort d'une leucémie. Toute la famille Caulfield. Nous sommes des millions à nous demander, chaque hiver, où vont les canards de Central Park quand le bassin est gelé, à cause de ce foutu Holden Caulfield. Oui, *L'Attrape-Cœurs*. Mais Salinger n'est pas uniquement pour moi l'auteur de *L'Attrape-Cœurs*. Ni même d'abord. Il n'a pas publié beaucoup de livres (on dit qu'il n'a pas cessé d'écrire depuis qu'il s'est retiré du monde, au début des années soixante – j'attends avec fièvre tous ces livres qui sortiront peut-être après sa mort…). Je les ai tous lus et relus, les livres de Salinger, je ne sais pas combien de fois. Ils racontent, tous, des histoires de famille. De relations entre frères et sœurs. Après la famille Caulfield, il a inventé une autre famille, la famille Glass, sept enfants. Dont le personnage principal est l'énigmatique et charismatique Seymour, qui se suicidera.

Mais comment parler de Salinger, de cet auteur qui ne ressemble à aucun autre, dont les livres sont comme des fragments de nos journaux intimes ? Salinger écrit en équilibriste, constamment sur le fil, entre humour et gravité, désinvolture et tragédie. Il parle en confidence. Il parle directement à son lecteur. Il aborde les questions les plus graves, les plus essentielles, avec le sourire, l'élégance et la légèreté d'un clochard céleste. Ses personnages sont hantés par une quête spirituelle, entre christianisme et bouddhisme zen, énigmatique et lumineuse. *Franny et Zooey*, *Hissez la poutre maî-*

tresse, charpentiers et *Seymour, une introduction* sont pour moi comme de précieux trésors que je n'ouvre qu'en tremblant. Si j'ai une patrie littéraire, spirituelle, elle est dans ces trois livres. Le mystère de la famille, le mystère de la vie : à pas légers, sans insister, Salinger touche au plus juste, au plus aigu. Et son humour est la main qu'il nous tend, pour nous conduire vers l'invisible.

Il a aussi publié un recueil de nouvelles, son genre littéraire de prédilection, celui par lequel il s'est lancé dans l'écriture, dans les années quarante. Souvent elliptiques, allusives, toujours incisives, elles nous font basculer, sous le masque de conversations anodines, de notations futiles, dans cette zone de nous-mêmes que, la plupart du temps, nous ne faisons que frôler fugitivement. Inquiétude, angoisse, grands rêves, grands espoirs. Et grands désespoirs. Dans ce recueil, une nouvelle tranche sur les autres. Elle s'appelle « Pour Esmé, avec amour et abjection ». C'est la nouvelle la plus grave, la plus noire. Où l'humour de Salinger est le plus triste. Il y parle de son expérience de la guerre, en Europe, avant et après le 6 juin 44. Il parle, sans jamais rien expliciter, sans une once de complaisance, de l'horreur de la guerre, de l'horreur du mal. Cette nouvelle est comme un diamant noir au cœur du recueil, la seule où Salinger parle en son nom propre. On a le sentiment, en la lisant, de toucher au plus intime de son expérience d'homme, ce qui a déterminé tout le reste, sa vie, son écriture, sa vision du monde. Ce qui en fait toute la force, c'est que l'essentiel n'est pas dit. L'essentiel est entre parenthèses. En points de suspension. C'est au lecteur de l'imaginer. Elle s'ouvre sur une rencontre entre l'adjudant Salinger et une petite fille de treize ans, Esmé, dans un salon de thé anglais, peu de temps avant le jour J. Esmé lui demande de lui écrire, spécialement pour elle, une nouvelle sur l'abjection. « Je suis extrêmement intéressée par l'abjection », tient-elle à préciser. Et elle lui souhaite de revenir de la guerre « avec toutes ses facultés intactes ». On retrouve Salinger un an plus tard, en Allemagne, après la victoire des Alliés. Il parle alors de lui à la troisième personne. C'est un homme détruit, agité de tics et de tremblements, abîmé dans un désespoir sans fond. On ne sait rien de ce qui s'est passé entre-temps. Rien, sinon la guerre.

Rien, sinon cette réflexion, des années plus tard, de celui qui aura été l'un des premiers soldats américains à entrer dans un camp de la mort : « Tu ne te débarrasses jamais complètement de l'odeur de la chair brûlée, elle te suit toute ta vie. » Cette phrase n'est pas dans la nouvelle de Salinger. Elle est dans le livre que vient de lui consacrer sa fille, Margaret Salinger (*L'Attrape-Rêves*). Et c'est en lisant ce livre que j'ai appris ce qu'avait fait l'adjudant Salinger entre le 6 juin 44 et le 8 mai 45.

Débarquement à Utah Beach, avec la première vague. Bataille de Normandie. Bataille des Ardennes. Et puis l'Allemagne, jusqu'aux camps de la mort. L'épisode le plus dur de cette guerre, où il a frôlé la mort, où il a vécu dans sa chair le pire de la guerre, écrit sa fille Margaret, ce fut sans doute la bataille de Mortain. « En quatre jours et demi de combats sanglants à Mortain, le 12e régiment d'infanterie de la 4e division subit 1 150 pertes [...] Les rares survivants n'en sortirent pas indemnes, ni au physique ni au moral. »

Je lis ces lignes, je suis pétrifié. Je suis obligé de les relire. Mortain. Salinger à Mortain. La nouvelle la plus intense de Salinger, celle par laquelle j'ai toujours été comme aimanté, trouve sans doute sa source dans la bataille de Mortain. « C'était un jeune homme qui n'était pas sorti de la guerre avec toutes ses facultés intactes », dit de lui-même Salinger dans « Pour Esmé, avec amour et abjection ». « Les rares survivants [de la bataille de Mortain] n'en sortirent pas indemnes, ni au physique ni au moral », écrit sa fille Margaret. Mortain où je suis né, juste après la guerre. Mortain où vivait ma famille, pendant ces « sanglants combats » entre le 12e régiment et la division Das Reich. Salinger était là, dans la forêt, juste derrière la petite maison des Aubrils où se tenait ma famille, coincée entre les lignes. Si ça se trouve, il a été l'un de ces soldats barbouillés de noir que mon frère Jean a vus surgir de la forêt. Si ça se trouve, il a été de ceux qui sont venus frapper à la porte de la maison pour demander à mes parents de partir, vite, le plus vite possible, loin, le plus loin possible, parce qu'ils allaient être obligés de tout bombarder pour venir à bout des Allemands. Et mes parents aussitôt sont partis, avec mes six frères et sœurs, à pied, vers la Bretagne, ma mère blessée par des éclats d'obus.

J'imagine, je fantasme, je délire. Je suis fou. Salinger avec mes parents, avec mes frères et sœurs, au milieu de l'enfer de Mortain. Je lis cette phrase de Dostoïevski, recopiée d'une main tremblante par l'adjudant Salinger, dans « Pour Esmé, avec amour et abjection » : « Pères et maîtres, je le demande : qu'est-ce que l'enfer ? Je maintiens que c'est la torture d'être incapable d'aimer. » Tout se bouscule dans ma tête, l'enfer de Mortain, l'enfer du manque d'amour, à la maison, à Trans, entre mes parents. La guerre à Mortain. La guerre entre mes parents. Salinger, que je lis depuis toujours, qui vit l'enfer de Mortain, qui écrit sur le mystère de la famille, sur l'amour et le manque d'amour. Et sur le suicide. Le suicide de Seymour Glass, le plus sensible, le plus passionné de toute la famille Glass. Et je pense à Agnès. Agnès qui a survécu par miracle à un bombardement à Mortain, alors qu'elle n'avait que quelques mois. Agnès qui s'est donné la mort.

Comment voulez-vous que je croie au hasard ? Il n'y a pas de hasard. Il y a ce nœud de vie et de mort, d'amour et de guerre, où tout se mêle, où tout se rejoint. « La guerre a *toujours* été à l'arrière-plan de notre vie familiale », écrit Margaret Salinger, la fille de Salinger. Cette guerre-là, celle de Mortain. Celle qui a toujours été à l'arrière-plan de notre vie familiale à nous, que mes frères et sœurs qui l'avaient vécue n'ont cessé de nous raconter, à nous les plus jeunes. Les obus et les balles de mitrailleuse ramenés du champ de bataille de Mortain, astiqués par ma mère, décorant le buffet. La guerre entre mes parents. Et moi revenant à Mortain, l'an dernier, là où était la maison des Aubrils, près de la forêt, cherchant la paix, cherchant la fin de la guerre.

Voici les derniers mots de la nouvelle de Salinger, alors qu'il vient de recevoir, en Allemagne, un paquet envoyé par Esmé, la montre de son père tué à la guerre : « Il resta simplement assis là, un autre long moment, la montre dans la main. Et alors, brusquement, presque voluptueusement, il sentit qu'il s'endormait. Vous avez affaire à un homme bien endormi, Esmé, et qui garde *toujours* une chance de redevenir un homme avec toutes ses fac… avec toutes ses F-A-C-U-L-T-É-S intactes. » Oui, après la guerre, après l'enfer.

Parmi toutes les lettres qui m'ont été envoyées, après mes deux livres, il y a celle-ci, que j'ai reçue très récemment. Elle est signée d'un nom que je connais bien, qui me ramène cinquante ans en arrière. Clotilde Marchandet, la fille (l'une des filles) de M. et Mme Marchandet. Des amis de mes parents, à Mortain. M. Marchandet était électricien. C'est lui qui a refait toute l'électricité dans la maison, à Trans, lors de notre déménagement, en 1952. Quand j'allais en vacances chez mon parrain, à Mortain, dans les années cinquante, j'allais souvent chez les Marchandet. Je me sentais bien chez eux, une famille nombreuse. Qui avait une pointe d'exotisme : certains étaient partis travailler à Paris (à Paris !). M. et Mme Marchandet sont eux-mêmes, un jour, venus vivre à Paris où Mme Marchandet est devenue concierge. Et ma mère, qui était l'une de ses meilleures amies, était allée passer quelques jours de vacances chez elle. Ses seules vacances à Paris, bien avant que je m'y installe. Voici la lettre de Clotilde Marchandet :

« Comme toute la famille, j'ai lu ton premier livre, où tu m'as fait l'impression de souffrances lors de ton adolescence, peut-être est-ce aussi pour cela que tu as voulu écrire. Je garde le souvenir de ta maman, très intelligente et rieuse. En rangeant des papiers, j'ai retrouvé une photo vous représentant tous. Je te la fais parvenir. P.-S. : Cette photo a été prise au Teilleul le jour de la communion de Jean. »

Voilà ce qui se passe quand on range des papiers, quand on se décide à classer, à jeter, à faire le tri. On tombe sur une photo de la famille Rémond, au Teilleul. Et on l'envoie, parce qu'on devine que cette photo est précieuse entre toutes. Et oui, Clotilde, elle l'est. Précieuse entre toutes. Le Teilleul, c'est là où nous avons vécu, pendant six ans, entre Mortain et Trans. Mon père avait réussi le concours de chef cantonnier et avait été nommé au Teilleul, à dix kilomètres de Mortain. Nous avons emménagé dans une de ces baraques en bois construites dans l'urgence pour abriter les « sinistrés de guerre ». Et qui restera à jamais, dans la légende familiale, « la baraque ». La voici, la baraque, sur la photo envoyée par Clotilde Marchandet. Elle est toute neuve. La photo doit dater de 1949, puisque c'est l'année de la communion de Jean. Cette photo, je ne l'avais jamais vue. Je n'avais, jusqu'ici, que deux photos du Teilleul. Une de la baraque, justement, un peu floue. Et une où on nous voit, Yves, Agnès et moi, marchant à pied vers le bourg, en route pour la messe, un dimanche matin.

Je la regarde, cette photo envoyée par Clotilde Marchandet, comme un miraculé. C'est un beau jour de printemps, début juin. On voit le soleil sur les visages, les jeux de l'ombre et du soleil. Debout contre le mur de la baraque, mes deux cousines de Combourg, le demi-frère et la demi-sœur de ma mère. Assise dans l'herbe, au premier plan, toute la famille, la famille Rémond. Mon père, ma mère, mes frères et sœurs, et moi, qui dois avoir deux ans et demi. Et Rosalie, la sœur de mon père. Tous assis dans les hautes herbes et les fleurs des champs, un dimanche de printemps, au soleil. Je suis juste devant ma mère, appuyé contre ses genoux. Mon père, chemise blanche et cravate, est presque complètement immergé dans les herbes folles. Il ferme les yeux, sans doute ébloui par le soleil. Juste derrière lui, on voit un râteau et une bêche. Un grand arbre, à droite, fait un peu d'ombre. C'est la famille Rémond, rescapée de Mortain, de la bataille de Mortain. Un jour de grand soleil, pour la communion de Jean, qui porte un brassard blanc sur la manche de son beau costume. Mes cousines et la demi-sœur de ma mère ont de jolies robes d'été.

Il y a un tel bonheur, dans cette photo. Un tel bonheur de vivre, d'être là, devant la baraque neuve, au Teilleul, au printemps 49. C'est une photo d'avant l'enfer, d'avant la guerre entre mes parents. Oui, me dis-je en la regardant, j'ai vécu heureux avec mes parents qui s'aimaient. J'ai vécu ces années-là, au Teilleul, dans une famille heureuse. Je vois mon père assis dans l'herbe, détendu, insouciant, avec toute sa famille, sa nombreuse famille. Les années de Mortain, où on tirait le diable par la queue, dans la petite maison des Aubrils, sont finies. Une autre vie commence.

Je me rappelle soudain ce que m'a dit un de mes frères, après avoir lu mon livre sur mon enfance, sur notre famille. Il m'a raconté combien il avait été heureux avec notre père, au Teilleul. Il avait ce souvenir très précis : un soir, mon père, debout sur la route, près de la baraque, l'appelle, lui demande de venir. Mon frère se demande ce qu'il lui veut. Et alors mon père, simplement, lui montre le soleil couchant, la splendeur du ciel au soleil couchant. Il lui dit : « Regarde comme c'est beau. » Voilà, c'est mon père, au Teilleul. Qui regarde la beauté du monde. Et veut la partager avec l'un de ses fils. Je regarde cette photo du temps du miracle. Et je suis à jamais ce tout petit enfant, habillé de blanc, dans le soleil, entre son père et sa mère, qui s'aiment et qui aiment le monde.

Nous sommes le 21 décembre. Le jour le plus court, la nuit la plus longue. Mais le début du retournement : peu à peu, pas à pas, le jour va gagner. J'aime ce jour timide et tenace. J'aime cette lente et patiente reconquête, le jour qui traverse l'hiver comme un passager clandestin pour, finalement, triompher. Je me souviens avoir vu, à Rome, dans les années soixante, ce film de Bergman qui s'appelle, en français, *Les Communiants.* En italien, le titre était *Luce d'Inverno.* Lumière d'hiver. J'aime ces mots, en italien comme en français. Luce d'Inverno. Lumière d'hiver. Je me les répète souvent dans la tête, comme un poème, comme un mantra. L'hiver est long. L'hiver est triste. Mais il a sa lumière. Il est habité, traversé par la lumière. C'est en hiver que j'ai toujours préféré voir le Mont-Saint-Michel, aux premiers jours de janvier. Le ciel, la grève et la mer sont irradiés par une douce lumière, pâle et fragile, qui fait trembler le Mont sur l'horizon. C'est une lumière qui vient on ne sait d'où, de l'autre bout du monde. C'est une lumière qui donne le courage. Tout est désert et silencieux. La grève glisse vers l'infini. C'est plus que la paix, qui gagne alors. C'est comme une joie. Lumière d'hiver. Luce d'Inverno. J'ai cet afflux de souvenirs, j'ai ces fantômes qui frappent à ma porte. J'ai cette vie, immense et fragile, que j'ai reçue, qui m'a été donnée. Et cette lumière légère qui palpite et qui tremble. On va forcément vers l'été.

Il y a une phrase que j'aime beaucoup, dans l'Évangile selon Matthieu, c'est celle-ci : « Ce jour-là, Jésus sortit de la maison et s'assit au bord de la mer. » C'est une phrase qui me fait du bien. On s'est fait une idée tellement conventionnelle, tellement caricaturale, de la vie de Jésus. Toujours en train de prêcher, de faire des miracles, de drainer les foules derrière lui, de faire des sermons. Une vie désincarnée. Une vie en représentation. Et je ne parle pas des ravages des images pieuses, des bondieuseries saint-sulpiciennes, cette espèce d'ectoplasme niais, entouré de moutons et de fidèles prosternés, ses cheveux shampouinés cerclés d'une auréole en néon. Et puis voilà. Un jour, au petit matin (j'imagine que c'est le matin), il sort doucement de la maison, sans faire de bruit, et il va s'asseoir au bord de la mer. Il a besoin de calme, de silence. Il a besoin de se vider la tête. De poser ses bagages. Il fait beau, il fait doux. Il regarde la mer, le ciel. Il goûte le matin. Il se laisse envahir par la beauté du monde. Il est en train de déclencher une révolution. Chaque jour, il prend des risques, il s'expose, il provoque, il suscite le débat, la controverse ; en quelques mois, il a mis le feu en Galilée. Alors il a besoin de souffler, de faire le point. Il est là, au petit matin, assis au bord de la mer, il écoute le léger bruit des vagues, le léger bruit du vent dans les herbes. Il regarde les éclats de soleil dans la mer, il se laisse gagner par la paix de cet instant. La paix avant la guerre.

Je l'imagine, assis au bord de la mer. Il pense à sa vie, à son destin personnel. Il se demande quel en est le sens, comment tout cela va se terminer. Il pense à sa liberté. Qu'est-ce qui l'a poussé à quitter sa famille, son père, sa mère, ses frères et sœurs, pour aller courir le pays avec une bande d'exaltés, proclamant qu'il faut tout changer, qu'il faut faire la révolution, celle de l'esprit ? D'où tient-il cette force ? Aurait-il pu y résister ? A-t-il choisi ce destin ? Où est sa liberté d'homme ? Peut-être est-ce là, ce matin-là, au bord de la mer, qu'il entrevoit sa véritable histoire. Il a fait le vide, il a posé ses bagages. Et il a l'intuition, en regardant la mer, en regardant le ciel, qu'il est appelé à autre chose qu'un destin d'homme. Il va souffrir. Il va mourir comme un homme. Et puis…

Je ne sais pas. J'imagine. En fait, j'aurais aimé être là. J'aurais voulu vivre cette aventure. J'aurais voulu, au jour le jour, voir cet homme un peu fou et sa bande d'exaltés. J'aurais voulu le voir au milieu de ses frères et sœurs, avec son père, avec sa mère. Boire avec lui, marcher avec lui. Le voir au milieu des pauvres, des prostituées, l'écouter clouer le bec aux sages, aux maîtres de la loi, l'écouter parler de la mort et de la vie, de la souffrance et de l'amour. De l'enfer du manque d'amour (« Qu'est-ce que l'enfer ? Je maintiens que c'est la torture d'être incapable d'aimer »). Jusqu'à sa mort à lui.

Je ne sais pas ce qu'est la vie. Je ne sais pas ce qui nous hante, quel est cet espoir qui nous fait vivre, qui nous dit qu'on ne peut pas accepter l'abandon, la résignation. Je ne sais pas quelle est cette insatisfaction qui nous brûle, qui nous pousse. Pas pour l'au-delà. Pour cette vie, la nôtre. Trop de blessures, trop de déchirures. Des rêves immenses, venus de loin, venus de l'enfance. Et ce bonheur soudain, violent, qui submerge et bouleverse. Comme une chanson dans la nuit, pour consoler notre âme.

RÉALISATION : PAO ÉDITIONS DU SEUIL
IMPRESSION : NORMANDIE ROTO IMPRESSION S.A.S. À LONRAI
DÉPÔT LÉGAL : AVRIL 2003 N° 60447 (030741)
IMPRIMÉ EN FRANCE